Einaudi

Dello stesso autore nel catalogo Einaudi

Cocaina (con M. Carlotto e G. De Cataldo)
Una mutevole verità
La regola dell'equilibrio
Passeggeri notturni
L'estate fredda
Le tre del mattino

Gianrico Carofiglio

La versione di Fenoglio

Einaudi

www.einaudi.it

ISBN 978-88-06-24098-1

La versione di Fenoglio

1.

Pietro Fenoglio pedalava senza troppo entusiasmo ma seguendo con disciplina il ritmo assegnato. Sobbalzò leggermente quando si sentí toccare sulla spalla. Era Bruna, la fisioterapista, e lui non si era accorto del suo arrivo per via degli auricolari e della musica.

– L'ho spaventata, maresciallo?

– No, cioè sí. Insomma, mi ha sorpreso.

– Cosa ascolta oggi?

– Bach. Quando vengo qui ascolto sempre o Bach o Mozart. Li conosco meglio e non devo impegnarmi troppo a seguire i passaggi, visto che sono già abbastanza impegnato a farmi torturare da voi.

Lei gli fece il suo solito sorriso enigmatico. Fenoglio non era ancora riuscito a capire cosa significasse. A momenti dava l'impressione di una totale presenza, una consapevolezza profonda della situazione e dell'interlocutore; a momenti la sensazione di un allegro distacco, di una distrazione gentile: un essere altrove, ma trattando con cortesia chi era lí.

Quando Bruna sorrideva la cicatrice sulla guancia sinistra si piegava a creare un effetto vezzoso e inatteso. Sembrava la ferita di un'arma da taglio, pensò ancora una volta Fenoglio. Chissà come se l'era procurata, o come *gliel'avevano* procurata. Non è il tipo di domanda che fai a una signora, e in ogni caso pareva che quel segno cosí vistoso sul viso non fosse un problema per lei. Bruna era una donna a suo modo bella: in contraddizione con il nome era bionda, non magra, piena di sensualità vigorosa e con un fondo di malinconia nello sguardo.

– Ancora dieci minuti e può andare, – disse, dando un'occhiata al display della cyclette e annuendo soddisfatta. – E fra due o tre settimane la liberiamo definitivamente. È contento?

Fenoglio si chiese come rispondere. Ovviamente era contento che quella tortura giornaliera – da due a tre ore di fisioterapia – cessasse. Però, già lo sapeva, le chiacchiere con Bruna erano diventate un'abitudine e gli sarebbero mancate.

– Mi raccomando maresciallo, – riprese Bruna, – usi sempre la stampella quando esce a fare una passeggiata. Non sia imprudente.

Fenoglio indicò la gruccia che aveva lasciato in terra.

– Non me ne separo mai: sono ubbidientissimo, anche se davvero non credo serva piú.

– Probabile. Ma per cautela è meglio usarla ancora un poco. Può anche non appoggiarla, il solo fatto di averla è un aiuto per l'equilibrio, fino a quando il recupero non è completo.

– Però siamo d'accordo che con l'arrivo del nuovo mese la togliamo, vero?

– Vediamo come va. Se si comporta bene. Comunque da domani non sarà piú solo in quest'orario. Avrà compagnia.

– Ah, sí? Chi viene? – chiese Fenoglio, pensando con preoccupazione al precedente compagno di fisioterapia, un signore depresso e con un odore corporale piuttosto intenso.

– Un ragazzo. Un bel ragazzo. Anche lui ha fatto la protesi d'anca. Si è rotto tutto in un brutto incidente d'auto.

Fenoglio non riuscí a evitare un pensiero spiacevole. Il ragazzo sarebbe stato a disagio con lui, come lui era stato a disagio con il tizio della settimana prima, che gli era parso un vecchio sebbene fosse piú anziano solo di cinque o sei anni.

Avvertí in modo quasi doloroso il desiderio di ritornare in caserma; avvertí l'assenza della routine che per decenni aveva placato la sua angoscia. L'aveva placata e le aveva dato un senso.

Come diceva Al Pacino in quel film? Devo tenermi la mia angoscia, devo proteggerla. Mi mantiene scattante. Qualcosa di simile. Era una battuta che l'aveva sempre colpito, gli sembrava scritta apposta per lui.

Ci sarebbe tornato, in caserma, al lavoro. Ma non per molto. Per l'ennesima volta, e con sgomento, pensò che entro poco piú di un anno sarebbe andato in pensione.

– Giulio, si chiama. È… interessante.

– Perché?

Bruna tirò fuori il suo sorriso e scosse le spalle.

– Vedrà. Adesso vado. Ci sono due signore che sono state operate tre giorni fa e oggi hanno la prima seduta di fisioterapia, in stanza. Finisca la cyclette e ci vediamo domani.

Si girò e andò via senza aspettare il saluto di risposta da Fenoglio. Lui fece ciao con la mano senza che nessuno potesse vederlo.

2.

Quando Fenoglio entrò, il ragazzo era già lí. Si teneva a una spalliera svedese ed eseguiva dei piegamenti, molto blandi, sulle gambe.

– Buongiorno, – disse educatamente vedendo Fenoglio. Aveva una bella faccia da attor giovane: un po' emaciato, leggere occhiaie, uno sguardo in bilico fra la timidezza e l'arroganza. Non doveva avere piú di ventidue, ventitre anni.

– Buongiorno, – rispose Fenoglio. – Sei tu la nuova vittima di Bruna? – Mentre parlava il tono gli suonò strano e falso, e si chiese perché.

– Sí, Bruna. Mi segue da una settimana, prima venivo in un altro orario.

Fu in quel momento che Fenoglio notò il libro. Vicino alla spalliera, abbandonata sul materassino, c'era una vecchia edizione di *Un anno sull'Altipiano*, di Emilio Lussu.

– È tuo quello? – disse Fenoglio indicando con il dito.

Il ragazzo assunse una strana espressione, quasi di scusa. La bocca si curvò leggermente, parve tremare in un atteggiamento – del tutto incongruo rispetto all'ordinarietà della domanda – di inguaribile tristezza. Cosí intensa, anche se solo per qualche secondo, che Fenoglio ebbe l'impressione di esserne risucchiato.

– Me lo ha consigliato un amico.

– Ti piace?

La piega di tristezza aleggiò ancora per un istante e scomparve.

– Mi piace molto. In sostanza mi sembra un libro sull'imbecillità e sui danni che può provocare.

Fenoglio annuí.

– L'imbecillità, hai ragione. Sai cosa diceva su questo argomento Alexandre Dumas? Il padre.

Stava per precisare chi era Dumas, non era scontato che un ragazzo di quell'età lo conoscesse, ma non fu necessario.

– Dumas... ho letto tutto, da piccolo. Mi piacevano le storie di vendetta, ero fissato con *Il conte di Montecristo*.

– Ecco, Dumas diceva: preferisco i mascalzoni agli imbecilli, perché a volte si concedono una pausa.

Il ragazzo sorrise, di un sorriso lento e consapevole, quasi nella mente gli fosse apparsa una personificazione di quell'aforisma.

– Lei lo ha letto? – domandò, toccando la copertina del romanzo di Lussu.

– Piú volte. Ce n'è un altro suo che forse è addirittura migliore: *Marcia su Roma e dintorni*. La storia dell'avvento del fascismo con tutte le mediocrità, le vigliaccherie, le miserie, i voltafaccia. Lo so che sto per dire una banalità, ma è un libro che sembra scritto oggi per raccontare cosa succede ora in questo Paese.

In quel momento arrivò Bruna e Fenoglio avvertí la consueta fitta di lieve disagio, che provava ogni volta che la vedeva. Pensò che la vita ha degli strani cicli. Quel leggero imbarazzo era lo stesso che provava da ragazzino – forse a dieci, undici anni – quando incontrava la signora Molteni, che abitava al piano di sotto nel suo stesso palazzo. Era una bella donna, giovane, sempre vestita bene e in modo che le sue forme non passassero inosservate.

Il piccolo Pietro diventava rosso incrociandola, e a volte addirittura cambiava strada per timore che lei se ne accorgesse. Quando la donna era con il marito – un uomo alto e robusto, dall'aria compiaciuta e ottusa – all'imbarazzo si mescolava una cosa che allora non avrebbe saputo nominare. Un misto di desiderio indistinto, percezione di inadeguatezza e spirito di rivalità. In pratica, pura e semplice gelosia, ma era troppo presto per maneggiare una parola come quella.

Bruna gli provocava lo stesso senso di inaccessibilità che ai tempi gli suscitava la signora Molteni.

– Avete già fatto conoscenza? – disse la fisioterapista. – Bene, perché starete qui insieme almeno per le prossime due settimane.

– Chiacchieravamo di libri, – disse Fenoglio, cercando di apparire spigliato e, ancora una volta, avendo la sensazione di non riuscirci.

Bruna assegnò gli esercizi, controllò che entrambi li eseguissero nel modo corretto e disse che si allontanava per assistere altri pazienti.

– Torno fra una mezz'ora. Sorvegliatevi a vicenda, cosí non barate.

Andò via senza aspettare eventuali risposte, lasciando una sottile scia di profumo; quel profumo cosí fresco e cosí apparentemente innocuo.

– Perché sei qui? Che ti è successo? – chiese Fenoglio mentre, appoggiando una mano alla spalliera svedese, iniziava a fare su e giú con la gamba, piegandola e cercando di portare il ginocchio piú in alto possibile.

Anche il ragazzo aveva cominciato il suo esercizio, disteso sul materassino, con una banda appesantita intorno alla caviglia.

– Un brutto incidente con la macchina. Mi dicono che sono fortunato a poterlo raccontare, ma io non ho niente da raccontare perché non ricordo niente –. Parve indugiare qualche istante, quasi temesse che restituire la domanda potesse essere indelicato.

– E lei? – disse infine.

Senza nemmeno rendersene conto Fenoglio scosse la testa, come se ancora non si capacitasse di ciò che era successo. Che, in estrema sintesi, consisteva negli anni che passavano.

– Quando uno invecchia le ossa diventano piú fragili e tutto si complica. Per non farla troppo lunga: severa artrosi dell'anca, con decorso quasi fulmineo. Un paio di anni fa non avevo praticamente problemi e il mese scorso mi sono *dovuto* operare perché ormai ero quasi zoppo e la vergogna di zoppicare è diventata piú forte della vergogna di farsi mettere una protesi –. Sempre senza rendersene conto fece un gesto con la mano, come per scacciare qualcosa che gli dava fastidio.

– Cosa c'è di vergognoso in un'operazione? – chiese l'altro.

– Nulla, in teoria. Ma sai, per quanto pensiamo di essere superiori a certi meccanismi, questi ci condizionano. Possiamo essere abbastanza lucidi da osservarli in noi stessi eppure incapaci di contrastarli davvero.

– Non sono sicuro di seguirla.

– Hai ragione, dico cose confuse perché non riesco a dirle con chiarezza nemmeno a me stesso. Allora: la protesi dell'anca, salvi i casi come il tuo, quando dipende da un incidente grave, è un intervento che fanno gli anziani, i vecchi. In realtà non sono persone tanto piú grandi di me, ma sono *anziani*. Ammettere di avere la protesi dell'anca significa ammettere di essere anziani. Hai l'artrosi, e l'artrosi è «roba da vecchi», anche se non è proprio vero: capita che ce l'abbiano pure dei trentenni e che pure loro debbano subire questo intervento. Ma insomma gli schemi ci condizionano moltissimo, anche se crediamo di esserne immuni.

– Lei credeva di esserne immune?

Semplice e diretto. Quel ragazzo gli piaceva.

– Credevo di *essere* immune –. Dopo un'ulteriore pausa, quasi che quella domanda cosí elementare e in qualche modo cosí ovvia, avesse spalancato una porta mimetizzata su una parete che sembrava bianca e liscia, aggiunse: – Credevo di essere immune da molte cose.

Il ragazzo parve esaminare ed elaborare la risposta che aveva ricevuto. Come per assicurarsi che non gli sfuggisse un pezzo importante di significato.

– Sa che se l'avessi incontrata da bambino, a sei, sette anni, avrei detto che era uno sceriffo?

– In che senso?

– La faccia. Da bambino avevo la fissazione dei film western e degli sceriffi. C'erano alcune fisionomie che mi suggerivano l'idea dello sceriffo. Facce da uomini che mi ricordavano i personaggi dei western. Un meccanico, proprio vicino casa, aveva quel tipo di faccia. Avevo preso l'abitudine di salutarlo, forse perché mio padre gli aveva portato la macchina a riparare o forse semplicemente perché abitavamo vicini, e io ero convinto di conoscere uno sceriffo. Lei ha quel tipo di faccia.

Tornarono entrambi ai rispettivi esercizi e per qualche minuto ci fu solo il rumore del respiro, i leggeri gemiti dello sforzo quando ognuno arrivava alle ultime ripetizioni.

– Immagino sia seccante accorgersi che gli anni passano, – disse poi il ragazzo. – In effetti è anche seccante frantumarsi le articolazioni come è capitato a me. Fra l'altro sembra che io non avessi nessuna colpa. Almeno cosí mi dicono; le ripeto: io non ricordo niente. Se non altro non sarò piú costretto a giocare a calcio. Non sono mai stato bravo; ci andavo perché gli amici organizzavano e non sapevo dire di no. Giocare a calcio mi sembrava parte dei doveri di un giovane maschio. Ora potrò sottrarmi a questo rituale senza che nessuno sollevi dei dubbi sul mio orientamento sessuale. Ho una scusa inattaccabile: anca ricostruita, evitare gli sport traumatici. Che sollievo.

Gli elementi divergenti erano una delle ossessioni di Fenoglio.

Ci sono vari modi di guardare il mondo e gli altri. Il piú diffuso consiste nell'assegnare delle etichette e attenersi rigorosamente a esse. Il meccanismo ha una sua micidiale semplicità. Assegniamo l'etichetta e, da quel preciso momento, la utilizziamo per osservare l'oggetto etichettato. Diventa uno strumento di selezione degli stimoli che arrivano alla nostra mente e, addirittura, ai nostri sensi. Vediamo, percepiamo ciò che corrisponde all'etichetta e scartiamo quello che la contraddice.

Da quando – molto presto – Fenoglio si era reso conto del meccanismo, aveva cercato di contrastarlo andando a caccia delle divergenze. Cioè non di quello che conferma, ma di quello che contraddice lo schema iniziale.

Il ragazzo aveva effettuato uno scarto improvviso e molto

interessante. Il primo impatto era stato quello della smorfia di tristezza. L'etichetta diceva: persona infelice, forse in gran parte senza nemmeno averne coscienza.

Adesso, d'un tratto, tirava fuori quella nota di ironia tagliente e molto consapevole.

– Come ti chiami?

– Giulio, – rispose il ragazzo. – Giulio Crollalanza –. Dopo un attimo di esitazione si alzò dal materassino e tese la mano a Fenoglio.

– Pietro Fenoglio, – disse il maresciallo, separandosi dalla spalliera e tendendogli la sua.

– Fenoglio come lo scrittore?

– Sí. Non siamo parenti. Anche tu come lo scrittore.

– In che senso?

– Crollalanza è la traduzione di Shakespeare, piú o meno.

Il ragazzo rimase serio per un po'. Controllava mentalmente. Poi il suo volto si distese in un'espressione di stupore.

– È incredibile, è il mio nome e non ci avevo mai fatto caso.

– Capita. I particolari che ci sfuggono piú facilmente sono quelli che abbiamo sotto il naso. Cosa fai, Giulio, studi?

Ecco di nuovo, per una frazione di secondo, la piega dolorosa.

– Dovrei laurearmi quest'anno, sí.

– In cosa?

– Giurisprudenza. Mi mancano due esami e la tesi.

– Anch'io dovrei laurearmi, – disse Fenoglio, e un istante dopo si chiese per quale motivo avesse fatto quella battuta. – Scusa, una stupidaggine. Sono un maresciallo dei carabinieri, prima di arruolarmi studiavo Lettere a Torino, la mia città, e cominciando a lavorare, *molti* anni fa, ho smesso. Ho sempre detto che mi sarei laureato quando fossi andato in pensione. Ora il momento si avvicina, e in realtà non so se davvero ne ho voglia.

– Lei non sembra un carabiniere. Quando va in pensione?

– L'anno prossimo. Sedici mesi a partire da oggi.

– E cosa farà dopo?

Questo era per il problema. Non lo sapeva. Per lunghi anni – erano stati davvero lunghi? – si era detto che senza l'impegno del lavoro con i suoi tempi imprevedibili e incontrollabili, senza le notti passate in caserma, o in giro per sopralluoghi, o a preparare l'arresto di qualcuno, avrebbe potuto fare tutto quello che gli piaceva. Leggere, andare ai concerti, viaggiare. Magari, appunto, iscriversi di nuovo all'università e laurearsi. E adesso, invece dell'impazienza, avvertiva lo sgomento e distoglieva lo sguardo.

– Non lo so. Me lo sto chiedendo, ma non trovo una risposta soddisfacente.

Il ragazzo parve riflettere su una possibile ulteriore domanda. Fenoglio pensò che non era sicuro di volerla ascoltare.

– E tu cosa farai dopo la laurea?

– Neppure io lo so, cosa farò dopo.

– Quando ti sei iscritto all'università cosa pensavi che avresti fatto?

Il ragazzo era seduto sul materassino. Si strinse nelle spalle senza dire nulla.

– Perché ti sei iscritto a Giurisprudenza, allora?

– Io avrei scelto Lettere o Filosofia. I miei genitori hanno scatenato una guerra nucleare su questa idea e alla fine ho lasciato perdere. Tanto per chiarire, mio padre fa l'avvocato e in famiglia contano che io segua la sua strada.

– E tu sei di opinione diversa.

– Sí. Ho le idee abbastanza chiare su quello che *non* voglio fare; l'avvocato in generale è fra le prime cose della lista. L'avvocato nello studio di mio padre è la prima cosa della lista.

Le parole del ragazzo rimasero sospese nell'aria. Entrambi ripresero a fare i rispettivi esercizi e per qualche minuto, nella stanza della fisioterapia, regnò il silenzio. Poi Giulio domandò:

– Come è successo che da studente di Lettere è diventato carabiniere?

In quel momento rientrò Bruna.

– Ero sicura che avreste chiacchierato e battuto la fiacca. Adesso vi sorveglio, non vogliamo tenervi qui a fingere di fare fisioterapia per i prossimi due anni.

3.

Il giorno dopo pioveva e Fenoglio arrivò in ritardo. Il ragazzo era già là, impegnato in esercizi su dei gradini muniti di corrimano. Su e giú, su e giú con ipnotica rassegnazione. Come se quel movimento che non portava da nessuna parte fosse una specie di metafora. Di cosa poi?

Fenoglio si disse che non avere la mente occupata con il lavoro non gli faceva bene.

– Ciao, Giulio.

– Buongiorno. Bruna è passata di corsa e ha detto che anche lei deve fare su e giú per dieci minuti, senza tenersi al corrimano; poi gli esercizi con la cavigliera. Torna fra mezz'ora.

Fenoglio mimò un saluto militare, poggiò a terra la sacca e raggiunse i gradini dalla parte opposta a quella su cui stava lavorando il ragazzo.

– Le ha dato fastidio che ieri le abbia chiesto come mai è diventato carabiniere? – disse Giulio.

– No. Perché?

– Ripensandoci mi è parso che la domanda fosse poco rispettosa. Come se includesse un'implicazione di gerarchia fra lo studiare, in particolare materie umanistiche, e il diventare maresciallo dei carabinieri.

– Non era cosí?

Il ragazzo abbozzò un sorriso.
– Probabilmente sí.
– Comunque non c'è niente di strano. In qualche modo io stesso ho passato la vita percependo e rimuovendo quella... come hai detto? Sí, quella *implicazione di gerarchia*.
– Mi ha molto incuriosito. A volte mi domando in che modo la gente scopra la propria strada, perché io temo di non riuscire a trovare la mia. Ammesso che esista, una mia strada.
Fenoglio fece una decina di volte su e giú per la rampa.
– Immagina il genio della lampada. Ti appare e ti dice che puoi esprimere un desiderio. Puoi scegliere il lavoro che farai. Qualsiasi lavoro. L'unica condizione è che tu risponda subito altrimenti perdi l'opportunità. Che rispondi?
– Posso scegliere qualsiasi cosa?
– Qualsiasi cosa che sia possibile, anche se improbabile. Escluderei il calciatore di serie A, visto quello che mi hai detto ieri.
Per qualche decina di secondi si sentí solo il rumore delle scarpette sui gradini, da un lato e dall'altro.
– Mi piacerebbe scrivere, – disse infine Giulio.
– Romanzi e racconti? O scrivere nel senso di fare il giornalista?
– Visto che questo genio della lampada è cosí gentile farei una richiesta molto precisa. Vorrei scrivere quella che gli americani chiamano *narrative non fiction*. Storie vere messe in forma narrativa. Cose come *A sangue freddo* di Truman Capote. Non so se lo conosce...
Fenoglio fece un cenno col capo. Lo conosceva.

– Non tutti lo conoscono, scusi. Insomma, mi piace l'idea di raccontare cose vere.

– Be', è un bel desiderio. Non è irrealizzabile, anche se forse il tirocinio richiesto non è proprio quello degli studi di legge.

Fenoglio fu sul punto di rivelare al ragazzo che anche lui, piú o meno alla stessa età, aveva il sogno di scrivere. Si trattenne perché, senza capire bene il motivo, gli parve una cosa goffa e inopportuna. Almeno in quel momento.

Giulio si passò la mano sul viso.

– È un bel desiderio, ma del tutto velleitario. Non ho nessuna preparazione, nessuna formazione, e forse nessun talento, per scrivere alcunché.

– Leggi parecchio, mi pare.

– Sí. Ma è come se uno che vede tante partite in televisione pensasse di poter giocare bene a calcio solo per questo.

– Non sono sicuro che il paragone funzioni. Si può giocare bene a calcio senza averlo visto in televisione. Non si può scrivere – credo – senza avere letto molto. Non ricordo chi ha detto che ogni vero scrittore è seduto su una catasta di libri altrui. Diciamo che la lettura è un presupposto necessario, anche se non sufficiente, per scrivere qualsiasi cosa.

– Questo è giusto.

– E comunque tu non sai se sei capace, ma nemmeno se *non* sei capace. È corretto?

– A volte provo, ma il risultato non mi piace. È roba scadente. Con rare eccezioni.

Continuarono i loro esercizi. Poi arrivò Bruna in jeans e maglietta. Aveva un bel seno e soprattutto bellissime braccia, pensò Fenoglio. Robuste, toniche, muscolose ma non maschili. Forti, rassicuranti, seducenti braccia femminili. Certo, invitare la propria fisioterapista a prendere un caffè sarebbe inopportuno. No, sarebbe molto patetico. Sei un signore vicino alla pensione e lei è una bella donna che si occupa delle tue articolazioni malandate (non proprio una situazione in cui puoi sfoderare il tuo fascino, ammesso che tu ne abbia ancora) e soprattutto è parecchio piú giovane di te. Fra i quaranta e i cinquanta, comunque parecchio piú giovane di te.

Meglio evitare di rendersi ridicoli. Meglio.

– Scusate l'abbigliamento, mi hanno appena rovesciato un cappuccino sul camice e non ho il cambio. Vediamo un po' come procede.

Fece fare una rassegna di tutti gli esercizi principali della riabilitazione – in piedi, in movimento, sul materassino – prima a Fenoglio, poi al ragazzo.

– Molto meglio, di giorno in giorno, – disse alla fine. – Complimenti a entrambi. Certo che lavorare con pazienti giovani dà piú soddisfazione. Le vecchiette e i vecchietti non progrediscono altrettanto in fretta, anche perché una volta che sono di nuovo in piedi pensano di aver finito, si accontentano.

Fenoglio avvertí un infantile compiacimento – era stato collocato nella categoria dei giovani ed escluso da quella dei vecchi – e l'impulso a dire qualcosa di stupido. Pensò che stava vivendo dinamiche mentali da sedicenne.

– Di questo passo fra qualche settimana andiamo tutti insieme a correre sul lungomare, – disse Bruna.

Poi prescrisse a entrambi mezz'ora di cyclette e uscí.

– Secondo me a Bruna lei piace, – disse Giulio con noncuranza, mentre si regolava il sedile.

– Ma figuriamoci, – rispose Fenoglio in tono conclusivo, anche se gli sarebbe piaciuto molto approfondire lo spunto.

Pedalarono in silenzio per qualche minuto prima di ricominciare a chiacchierare.

– Che genere di carabiniere è? – chiese il ragazzo. – Cioè, fa le indagini e arresta i criminali oppure sta in ufficio a prendere le denunce?

– Tu che dici?

– Arresta i criminali.

– E come te lo immagini il lavoro di uno che arresta i criminali?

– Non lo so. È chiaro che pensi subito ai film polizieschi. Però poi uno si dice: quella è roba romanzata. Il mondo reale sarà molto meno eccitante, forse proprio noioso. È cosí?

– Il mondo reale può essere eccitante, a volte. Ma anche noioso, in effetti.

– Ho conosciuto un solo carabiniere nella mia vita, prima di lei.

– Che cos'era: un carabiniere semplice, un ufficiale, un maresciallo?

– Forse era un maresciallo. Il padre di un mio compagno di scuola delle medie. Parlava con un accento napoletano fortissimo, un misto di italiano e dialetto. Era grosso, con la faccia larga e gli occhi piccoli. Faceva sempre il simpatico, ma aveva un modo di guardare che non mi piaceva per niente. Ci procurava i biglietti gratis per il cinema e questo – so che non è una cosa bella da dire – era l'unico motivo per cui frequentavo il figlio.

– Come si chiamava?

– Tedone, lo conosce?

– No, ma se aveva i biglietti gratis per il cinema probabilmente lavorava in qualche ufficio a diretto contatto con il comandante provinciale o il comandante regionale.

– Quindi?

– Quindi *non* si occupava di criminali e di indagini.

– A volte mi sono chiesto quanto ci sia di vero nei romanzi e nei film polizieschi.

– Poco. Di sicuro pochissimo in quelli italiani.

– Perché proprio in quelli italiani?

– Bah, quando un film o un libro parlano di un contesto che conosco molto bene è facile che mi renda conto di ciò che è sbagliato nella storia, nella costruzione dei personaggi, nel resoconto delle procedure. In un racconto che si presenta come realistico certi errori, se uno è in grado di coglierli, fanno passare il gusto della visione o della lettura. Hai mai sentito parlare della sospensione dell'incredulità?

– Sí.

– Allora capisci cosa intendo. Gli errori grossolani che ci sono nei film e nei romanzi – in quasi tutti, con rare eccezioni – spezzano la sospensione dell'incredulità. Smetti di crederci e di conseguenza non hai piú voglia di leggere o guardare.

Il ragazzo pedalava con costanza, ma il capo era rivolto verso Fenoglio, in attesa di ascoltare il seguito.

– Non è cosí frequente che un ragazzo della tua età, che non fa studi di letteratura, sappia cos'è la sospensione dell'incredulità.

– Ho imparato poche cose al liceo, e quasi tutte da un professore di italiano che venne da noi l'ultimo anno. Fu lui a parlarci della sospensione dell'incredulità, e quel discorso mi rimase impresso. Mi sembrava che, fra tante chiacchiere inutili, rappresentasse un criterio elegante e pratico per stabilire – almeno da quel punto di vista – se un racconto era buono o no. Se l'autore si era impegnato davvero o se aveva cercato di fare il furbo o semplicemente non era capace.

– È una bella definizione: un criterio per decidere se un racconto è buono o no.

– Quindi si può dire che lei è un investigatore?

– Si può dire, sí.

– Le piace?

Fenoglio esitò qualche secondo prima di rispondere. Non perché avesse dei dubbi, sapeva benissimo che quel lavoro, nonostante tutto, gli era piaciuto molto e presto gli sarebbe mancato. No, si chiese solo se avesse senso, se valesse la pena raccontare certe cose a quel ragazzo pressoché sconosciuto. Se l'interlocutore non vale la pena, parlare di cose che per te sono importanti o fondamentali, cose che addirittura definiscono chi sei, conduce spesso alla frustrazione. Già trovare le parole adatte è difficile. Sei sempre esposto al rischio di impoverirle, quelle cose, di svilire il loro significato, di dissiparle. Se poi chi ti sta davanti, la persona con cui stai parlando non è capace, o non ha voglia, di ascoltare sul serio, allora quel senso di sperpero diventa piú acuto, a volte quasi vergognoso.

Fenoglio decise che il ragazzo valeva la pena.

– Mi è piaciuto molto.

– Per quanto tempo lo ha fatto? Come ha cominciato?

– Come ho cominciato? – ripetendo la domanda di Giulio, Fenoglio si rese conto di aver raccontato quella vicenda – come aveva cominciato – una sola volta in quei trentacinque anni. Chi aveva detto che le storie, se non le racconti, si disseccano a poco a poco, si sbriciolano e scompaiono nel nulla? L'unico modo per preservarle è raccontarle. Chi lo aveva detto?

4.

Mi sono arruolato a ventidue anni. Frequentavo l'università e fino a qualche mese prima l'ultima cosa che avrei pensato di fare nella mia vita era il carabiniere.

Volevo scrivere. Diventare giornalista, o magari proprio scrittore. Nella mia immaginazione di ragazzo non era importante *cosa* avrei scritto. La questione fondamentale era che volevo guadagnarmi da vivere scrivendo. Qualsiasi cosa.

Mio padre era un appuntato dell'Arma e un giorno mi disse che mi aveva iscritto al concorso per diventare vicebrigadiere. Lo aveva fatto a mia insaputa e me lo rivelò solo a un mese dalle selezioni. Io andai su tutte le furie e gli dissi che a quelle selezioni non mi sarei presentato per nessuna ragione al mondo. Lui era un uomo duro, e di fronte a una risposta come la mia – io stesso fui stupito dalle mie parole e dal tono con cui le pronunciai – mi sarei aspettato una reazione altrettanto violenta.

– Andiamo a fare due passi, – disse invece, sorprendendomi.

Era primavera e dopo aver camminato in silenzio per una decina di minuti, ci sedemmo in un caffè con i tavolini all'aperto. Ordinammo due cappuccini e lui tirò fuori le sue Nazionali Esportazione, quelle con il pacchetto verde. Me ne offrí una e io la presi; fino a quel momento il fatto che io fumassi era una cosa non dichiarata, che non avrei ammesso se me lo avesse chiesto.

– I padri pensano di fare il bene dei figli, e quasi sempre sbagliano, – cominciò. – Probabilmente ho fatto male a iscriverti al concorso senza il tuo permesso. Scusami.

Ero sbalordito. Mio padre parlava poco e per quanto riuscivo a ricordarmi, non l'avevo mai sentito ammettere di essersi sbagliato o tantomeno chiedere scusa. Non trovai nulla da dire e lui continuò il suo discorso.

– Però secondo me sarebbe un errore non provare nemmeno la selezione. Fai sempre in tempo a non andarci, ammesso che ti prendano. E sei sempre in tempo per laurearti, se ti prendono e decidi di accettare.

Io sospirai, me lo ricordo come se fosse adesso. L'atteggiamento di mio padre mi aveva disarmato. Non avevo piú voglia di essere aggressivo. Però non avevo nemmeno voglia di rispondergli di sí, perché non avevo nessuna intenzione, ne ero sicuro, di diventare un carabiniere.

Glielo spiegai con molta calma, precisando che questo non significava che non rispettassi il suo lavoro. Semplicemente avevo altri progetti. Mio padre prese atto, sembrava dispiaciuto, ma non insistette. Se ne tornò a casa, e io me ne andai non so dove.

Tre settimane dopo ebbe un infarto in caserma; morí prima che arrivassero i soccorsi.

Io mi presentai alle selezioni e di lí a qualche mese ero alla scuola di Firenze a cominciare il mio corso da vicebrigadiere.

Al termine dell'addestramento fui assegnato al nucleo radiomobile di Bologna; qui a Bari sono arrivato piú tardi. Il mio compagno di pattuglia si chiamava Carosio, come il telecronista. È stato uno dei pochi colleghi da cui abbia imparato qualcosa di fondamentale sul lavoro e sulle persone. Se ci fosse ancora avrebbe settantanove anni; ne aveva ventuno piú di me, non so perché questo dettaglio mi è rimasto nella memoria.

Una volta ci chiamarono in emergenza perché c'era un tizio che minacciava di suicidarsi. Si era versato addosso una tanica di benzina, aveva in mano un pacchetto di fiammiferi da cucina e voleva darsi fuoco. Il tutto davanti a una scuola elementare.

Quando arrivammo la situazione era allarmante come ce l'avevano descritta dalla sala operativa. C'erano già due macchine, una nostra e l'altra della polizia. I colleghi, tenendosi a distanza, gli puntavano le pistole e gli gridavano di buttare i fiammiferi, di stare calmo e di non fare pazzie. Non sembrava una procedura particolarmente efficace: il tizio si agitava e gridava sempre di piú.

– Rimani indietro e non toccare la pistola, – mi disse Carosio. Teoricamente io ero quello piú alto in grado – io vicebrigadiere, lui appuntato – e dunque suo superiore. Ma nel mondo reale, soprattutto in mezzo alla strada, i gradi contano solo fino a un certo punto.

Scese dall'auto e si diresse verso il tizio dopo aver chiesto agli altri di abbassare le armi e di rimanere dov'erano.

– Non ti avvicinare o mi accendo! Accendo tutto. Faccio un casino, faccio un casino, – gridò quello.

Carosio avanzò ancora di un paio di passi, come se non avesse sentito, poi gli disse: – Scusa, non ho capito. Puoi parlare un po' piú lentamente, per piacere?

Fu come se a tutta la scena fosse stato impresso uno scarto improvviso. Come se attraverso un interruttore Carosio avesse cambiato il ritmo e anche il tono emotivo.

Il tizio rimase lí, interdetto. Non riuscivo a vedere bene la sua espressione, ma il suo stupore era quasi concreto. Come il mio, del resto.

Se qualcuno grida ed è arrabbiato e sembra sul punto di compiere un gesto inconsulto, mi avrebbe spiegato piú tardi Carosio, la cosa peggiore che gli si può dire è quella che invece viene detta piú spesso: *calmati*. Ci sono poche cose che fanno infuriare di piú una persona alterata. Se sei arrabbiato e ti dico di stare calmo, significa che ti sto rimproverando, è come se stessi dicendo che non hai diritto di essere arrabbiato. Mentre in quel momento la cosa cui pensi di avere diritto piú di tutte è, appunto, essere furibondo.

Carosio, invece, lo aveva solo invitato a parlare piú lentamente; una richiesta di aiuto, non un rimprovero.

Fu come una mossa di lotta giapponese: fece perdere l'equilibrio all'altro – metaforicamente – senza danno e senza spreco di violenza.

– Io mi chiamo Antonio, ma tutti mi chiamano Tonio. Non so se hai voglia di dirmi il tuo nome.

Ero sicuro che quello avrebbe risposto di farsi i cazzi suoi.

Dopo qualche secondo l'altro disse: – Michele.

– Va bene, Michele, vogliamo parlare del tuo problema?

– Il problema è che adesso mi accendo e mi ammazzo cosí la facciamo finita con questa storia di merda.

– Prima di farla finita mi spieghi esattamente quale storia?

Michele gli spiegò. Aveva perso il lavoro, la moglie lo aveva lasciato e non gli permetteva di vedere la bambina (che frequentava la scuola elementare davanti alla quale si stava svolgendo la scena), i giudici gli avevano dato torto su tutto e adesso non poteva fare piú niente perché non aveva nemmeno i soldi per pagare gli avvocati.

– Uhm, ho capito. Ti vuoi ammazzare perché nella vita non te ne va bene una.

Michele disse che le cose stavano proprio cosí. Ma era interdetto. La conversazione aveva preso una piega inattesa. Sembrava molto piú calmo e molto meno desideroso – ammesso che lo fosse mai stato – di darsi fuoco.

– Non ti biasimo, forse io al tuo posto la penserei alla stessa maniera. Mi sento di dirti solo una cosa, se hai voglia di sentirla.

– Cosa?

– Darsi fuoco non è un buon metodo. Si soffre molto e l'agonia può durare parecchie ore. Credimi, purtroppo ho una certa esperienza di morti e ho visto alcune persone che si sono date fuoco come vuoi fare tu. Muori lentamente, fra dolori terribili, e il brutto è che hai tutto il tempo per pentirti di quello che hai fatto mentre senti l'odore della tua carne che brucia come un arrosto. Te lo garantisco, Michele, hai scelto uno dei modi peggiori per morire. Se proprio ti vuoi ammazzare, meglio un altro sistema, qualcosa di rapido e indolore.

L'altro gli domandò quale fosse questo sistema rapido e indolore. Carosio disse che ce n'era piú di uno e che ne potevano parlare insieme in una situazione meno tesa. Senza tanica e fiammiferi di mezzo.

– Se lascio i fiammiferi e la benzina voi mi arrestate.

– E per quale reato ti dobbiamo arrestare? Porto abusivo di fiammiferi e di benzina? Finché non accendi, non è successo niente. Se decidi di lasciar perdere questo progetto ce ne andiamo insieme tu e io e ci facciamo una chiacchierata con calma. Se dopo sei sempre convinto di ammazzarti ti spiego io come riuscirci senza soffrire. A me sembra la scelta piú intelligente e, guarda, non lo dico solo per te. Lo dico anche nel mio interesse. Se ti dài fuoco mi toccherà rimanere qua per un sacco di tempo, scrivere un sacco di carte e tornare a casa tardissimo. Davvero se poggi quella tanica e butti via quei fiammiferi mi fai un piacere personale. Tra l'altro avrei proprio voglia di accendermi una sigaretta, ma capisci bene che in questa situazione non sarebbe una buona idea. Tu fumi, Michele?

Trascorso qualche minuto Carosio e il mancato suicida erano appoggiati al cofano della nostra macchina di servizio che confabulavano come vecchi amici, mentre il mezzo dei vigili del fuoco, arrivato in precedenza a sirene spiegate, ripartiva per tornarsene alla base.

Carosio possedeva una dote rarissima: sapeva come parlare alle persone. Nessuno glielo aveva insegnato, era un puro talento naturale. Per molto tempo mi sono chiesto per quale motivo fosse rimasto tanto a lungo al nucleo radiomobile, per strada e in divisa, invece di andare a fare un lavoro meno faticoso, meno rischioso, piú ricco di soddisfazioni.

Poi, appunto, lo trasferirono in un ufficio. Dopo piú di vent'anni per strada è inevitabile. Quando andò via mi fu subito chiaro che, senza di lui, non avevo piú voglia di continuare il servizio di pattuglia.

Mi sarebbe piaciuto passare al nucleo operativo, cioè l'ufficio che si occupa delle indagini piú importanti, ma non era facile. Tutti dicevano che se non avevi una buona raccomandazione era meglio mettersi l'anima in pace. Io non avevo nessuna raccomandazione, buona o cattiva che fosse, ma nemmeno mi mettevo l'anima in pace. Qualcosa, pensavo, mi sarei inventato.

Un giorno ci chiamarono dalla sala operativa per un sospetto omicidio.

La vittima era un medico della mutua – cosí si diceva allora – che non era rientrato a casa come faceva di solito verso le tredici, terminate le visite della mattina. La moglie si era preoccupata perché pare che l'uomo fosse molto abitudinario e puntualissimo. Lo aveva cercato al telefono, senza ricevere risposta. Allora aveva avvertito la figlia e insieme erano andate all'ambulatorio. Il dottore era cardiopatico e temevano un malore, un infarto.

Lo avevano trovato morto, sul pavimento dietro la scrivania. E lí lo trovammo anche noi.

La causa del decesso appariva chiara anche solo a un primo sguardo, poiché il cranio era parzialmente sfondato. Però non c'erano segni evidenti di una colluttazione: la scrivania era in ordine, a parte un lume da tavolo rovesciato, e a prima vista non sembrava che fosse stato sottratto nulla. In ogni caso, non era una faccenda di cui dovessimo o potessimo occuparci noi del radiomobile. Piú precisamente, non erano cazzi nostri, come disse il mio nuovo compagno di pattuglia. Un tizio biondastro, con un'acne tardiva, cui piaceva picchiare la gente e che non pagava nei bar in cui ci fermavamo a prendere il caffè o a fare colazione.

Poco dopo arrivarono quelli del nucleo operativo. Toccarono tutto senza guanti; spostarono oggetti e li rimisero *piú o meno* a posto. Aprirono la finestra. Un grave errore, poiché si altera la temperatura corporea del cadavere complicando la rapida ricostruzione dell'ora della morte. Allora non lo sapevo, in realtà, lo avrei imparato negli anni successivi, ma l'intera azione, nella sua sciatteria, mi rimase impressa, fotogramma per fotogramma. In seguito l'ho ripassata tante volte come se fosse un manuale al contrario: quello che *non* si fa quando si arriva sulla scena di un crimine.

Poi comparvero quelli delle investigazioni scientifiche. Fecero fotografie, spennellarono dappertutto polvere per le impronte digitali e si lamentarono che ce n'erano troppe. Anche quelle dei carabinieri, pensai io. Lo pensai cosí intensamente che fui lí lí per dirlo. Me ne stavo davanti alla porta, guardavo tutto, cercavo di registrare tutto e mi chiedevo cosa potessi escogitare per inserirmi nell'indagine. Per due volte mi morsi le labbra. Naturalmente sapevo che, se avessi provato a dire la mia opinione, come minimo mi avrebbero risposto in malo modo di stare zitto.

Un giovane vicebrigadiere in servizio da meno di un anno che interviene a dire la sua opinione durante un sopralluogo di polizia giudiziaria è uno che non sa come va il mondo.

Arrivò il capitano comandante del nucleo operativo. Arrivò il colonnello comandante del reparto operativo. Arrivarono anche alcuni poliziotti con il capo della squadra mobile, ma era solo una visita per dare un'occhiata, per informarsi sull'accaduto. Secondo la regola non scritta che disciplina queste cose, le indagini su un omicidio spettano alla forza di polizia che per prima arriva sul luogo del delitto. Quindi l'uccisione del medico – non so perché non riesco a ricordarne il nome – spettava a noi carabinieri. Cioè a *loro* del nucleo operativo.

Alla fine arrivò anche il sostituto procuratore di turno. Un uomo giovane, basso e magrolino, con degli strani capelli rossi, probabilmente un magistrato di prima nomina. Cercava di comportarsi come uno che sa il fatto suo e proprio per questo mi diede l'impressione di essere fuori posto.

Aspettarono tutti insieme il medico legale, il quale, dopo un rapido esame del cadavere, confermò ciò che già si sapeva, cioè che la morte risaliva a qualche ora prima. Ogni altra affermazione su cause, tempi, circostanze del decesso avrebbe richiesto l'autopsia.

Il sostituto procuratore, con il tono di chi ha appena preso una decisione motivata e difficile, autorizzò il trasporto del cadavere all'obitorio. Poi si allontanò assieme a quelli della polizia. Poco dopo andarono via anche i nostri ufficiali. Il capitano diede disposizione ai suoi uomini di parlare con gli inquilini del palazzo e i negozianti dei dintorni. Bisognava capire quali assistiti avesse visitato il dottore quella mattina, e sentirli. E soprattutto bisognava procedere a una retata di tossici della zona, portarli in caserma e torchiarli per bene.

Mentre i vari marescialli e brigadieri si attivavano, i necrofori rimossero il corpo. Io fui lasciato lí a piantonare la scena (la macchina di pattuglia con cui ero arrivato era già andata via) in attesa di altro personale che sarebbe venuto a repertare l'agenda, l'elenco dei mutuati e ogni altro documento utile.

Uscendo, un maresciallo anziano mi disse, col tono di chi sta facendo una buona battuta: – Naturalmente non toccare niente, eh?

Cosí rimasi solo.

Fu una sensazione difficile da descrivere. Adesso che

non c'era piú nessuno, che non c'erano piú le voci, si poteva ascoltare il silenzio, popolato di piccoli rumori insignificanti.

Soprattutto si percepiva lo *spazio vuoto* lasciato dal cadavere. Era come la presenza di un'assenza, un vuoto concreto e indelebile. Quando ebbi familiarizzato con quella strana atmosfera, decisi di eseguire un mio sopralluogo. Era la prima volta che disobbedivo in maniera deliberata e senza imbarazzi all'ordine di un superiore.

Non avevo niente di preciso in testa, ovviamente. Non ero mai stato sulla scena di un omicidio e non avevo idea di quale fosse il modo giusto di comportarsi. Comunque sia, cominciai a guardarmi attorno, a spostare libri sugli scaffali per vedere se ci fosse qualcosa dietro, a frugare nei cassetti, a passare in rassegna gli oggetti sulla scrivania. Tutte cose che avevano già fatto i militari del nucleo.

A un certo punto mi trovai fra le mani il blocchetto delle ricette. Era quasi nuovo e, in apparenza, non aveva nulla di interessante. Pagine bianche con il nome del medico e gli altri suoi dati.

Allora perché non lo rimisi subito a posto come avevo fatto con tutti gli altri oggetti che – violando le disposizioni del maresciallo – avevo toccato ed esaminato? Non lo so o non me lo ricordo. Che poi è la stessa cosa. Sta di fatto che non lo riposi.

In effetti in quel blocchetto c'era qualcosa di interessante, proprio perché non c'era.

Parole invisibili incise nella carta.

Il medico aveva scritto una ricetta sul foglio precedente del blocco e lo aveva strappato per consegnarlo al paziente.

Accesi la lampada da tavolo e la inclinai in modo radente rispetto alla superficie bianca. Le parole vennero fuori, o meglio: si vedevano e non si vedevano a seconda di come tenevo la luce. Si intuiva che erano lí, ma non erano leggibili.

Cosí, senza nemmeno rendermi conto che stavo manipolando e alterando in modo irreversibile una possibile prova, misi in pratica un trucco che avevo imparato dalla professoressa di educazione artistica alle scuole medie. Serviva a far comparire dal nulla un disegno o un testo. Il gioco consisteva in questo: si scriveva o si disegnava sulla prima pagina di un blocchetto, calcando forte in modo tale che le lettere e le parole venissero impresse su quella sottostante. Quest'ultima all'apparenza rimaneva bianca, ma passandoci sopra con delicatezza un carboncino o una matita dalla punta morbida, come per magia le parole saltavano fuori in bianco su fondo nero, simili a un graffito.

Sul ricettario comparve, con una grafia stranamente chiara per appartenere a un medico, la prescrizione di un antidolorifico – Optalidon – e il nome del paziente. L'ultimo che il dottore aveva visitato prima di morire. O almeno l'ultimo per il quale aveva scritto una ricetta.

Il mio primo impulso fu di rientrare in caserma, andare dal comandante del nucleo operativo e riferirgli cosa avevo scoperto e come avevo fatto, chiedendo come ricompensa di essere ammesso al nucleo operativo e di poter partecipare al prosieguo dell'indagine.

Mi ci volle solo qualche secondo per rendermi conto che era un progetto assurdo.

Anche se fossi riuscito a farmi ricevere – cosa niente affatto scontata – che avrei detto?

«Comandi signor capitano, dopo che ve ne siete andati

mi sono messo a frugare senza autorizzazione, anzi, contravvenendo alle superiori disposizioni, sulla scena del crimine. Ho trovato una possibile prova e l'ho maneggiata e anche manipolata. In tal modo ho capito che il dottore, prima di essere ammazzato, ha scritto una ricetta».

Ammesso che il capitano non mi avesse mangiato vivo, cosa avrebbe fatto dopo questa rivelazione? Mi avrebbe detto: «Vicebrigadiere Fenoglio, complimenti davvero per la sua brillante intuizione. Vado pazzo per le reclute che fanno di testa loro ficcando il naso nel lavoro degli altri e in particolare in quello dei miei uomini. Suvvia lasci perdere il radiomobile e venga con noi. Anzi adesso le cedo pure il mio ufficio cosí può organizzarsi meglio».

Nel migliore (e piú improbabile) dei casi avrebbe preso il foglietto, mi avrebbe dato una pacca sulla spalla e mi avrebbe rimandato ai miei turni di pattuglia. Nel peggiore avrei passato, meritatamente, guai piuttosto seri.

Allora mi venne un'idea folle. Avrei cercato io stesso l'ultimo paziente visitato dal medico e, una volta trovato, gli avrei chiesto se, andando via, avesse notato qualcosa. Se non sapeva nulla avrei lasciato perdere e non avrei raccontato niente a nessuno. Se avesse avuto qualche informazione utile... be' ci avrei pensato dopo.

In quel momento non mi passò per la testa che, molto probabilmente, quelli del nucleo operativo sarebbero comunque arrivati a quel soggetto. Lo avrebbero interrogato e lui avrebbe risposto che aveva già parlato con qualcuno dei carabinieri. Quelli si sarebbero insospettiti, magari avrebbero indagato e la situazione sarebbe potuta diventare davvero molto spiacevole.

Scoprire i dati precisi di quel paziente non fu difficile.

In uno dei cassetti della scrivania c'erano un paio di piccoli schedari. Dopo dieci minuti di consultazione, sempre tenendo d'occhio la porta nel caso arrivassero quelli del nucleo mentre ero intento a non farmi i fatti miei, avevo le generalità e l'indirizzo del soggetto. Osvaldo Baresi, si chiamava. Suppongo che non dimenticherò mai il suo nome.

Trascorsi alcuni minuti arrivarono due sottufficiali del nucleo operativo per repertare tutto quello che poteva essere utile. Io avevo in tasca il foglio. Il blocco delle ricette era sulla scrivania e rimase lí anche quando ebbero finito. Nessuno dei due lo aveva degnato di uno sguardo.

5.

– Mi fa piacere vedere che state socializzando, ma temo dovrete rinviare a domani il resto della conversazione, – disse Bruna, guardando ora l'uno ora l'altro con espressione divertita e interrogativa. Si era materializzata senza che se ne accorgessero. Fenoglio preso dal racconto, Giulio preso dall'ascolto.

– C'è un nuovo turno, ci sono altri pazienti e ci servirebbe questa stanza. Se non vi dispiace, naturalmente, – proseguí lei con un sorriso ironico che le aleggiava sulle labbra.

– Certo, certo. Ci siamo un po' distratti, – rispose Fenoglio, alzandosi dal materassino e recuperando l'asciugamano. Con imprevista soddisfazione constatò che il suo movimento era stato elastico e fluido; da uomo giovane. Si sorprese a sperare che Bruna se ne fosse accorta.

– Magari uno di questi giorni potreste rivelare anche a me quale argomento vi ha appassionato cosí tanto. Sempre che non si tratti di roba da uomini, irriferibile a una ragazza.

Gli sarebbe piaciuto davvero molto invitarla a cena, pensò Fenoglio. Ma non lo avrebbe fatto. La sola idea di un rifiuto, di fare una figura da cretino, gli pareva insopportabile. Era sempre stato cosí: e quando sei adulto, molto adulto, questo tipo di problemi non migliora.

Pietro e Giulio uscirono insieme, ognuno con la propria stampella. Come due compagni di scuola al termine delle lezioni.

Si fermarono davanti alla reception.

– Come torni a casa?

– Viene a prendermi un collaboratore di mio padre –. Fece un cenno con la mano, indicando fuori. – Dovrebbe essere già arrivato. Le serve un passaggio?

– Da tre giorni sono autorizzato a usare la macchina; è passato un mese dall'intervento. Non ho mai guidato volentieri, tutte le volte che ho potuto sono andato a piedi o con i mezzi pubblici; mai mi sarei immaginato di provare una simile euforia per il fatto di mettermi al volante.

– Io potrò farlo dalla settimana prossima.

– Ti piacerà. Per poco, ma ti piacerà.

– Mi lascia in sospeso, però. E sul piú bello, come si dice.

– Prometto che ti racconto il seguito domani. Ce n'è ancora un bel pezzo, e ora in effetti è tardi.

Il ragazzo pareva alla ricerca di un pretesto per non interrompere il discorso.

– Mi ha colpito molto la storia di quello che voleva darsi fuoco. Cioè, mi ha impressionato quello che ha fatto il suo collega… come si chiamava?

– Carosio.

– Il suo è stato quasi un gioco di prestigio.

– Carosio sapeva immedesimarsi nel punto di vista degli altri, *adattarsi* a loro e indurli, rispettosamente, mi viene da dire, a fare quello che voleva senza che questi se ne accorgessero. Non l'ho mai visto picchiare nessuno, invece gli ho visto fare cose simili a quella che ti ho raccontato in numerose occasioni. E ogni volta sembrava… sí, un gioco di prestigio, hai ragione.

– Ricordo di aver letto una frase sulle arti marziali, sul metodo del combattimento. Diceva che bisogna essere come l'acqua, che non ha una forma sua propria. Metti l'acqua in una bottiglia ed essa diventa la bottiglia. Metti l'acqua in una teiera ed essa diventa la teiera. L'acqua può fluire o può infrangere.

– Tu pratichi arti marziali?

Giulio sorrise e scosse la testa.

– No, no. Una ragazza con cui sono stato per qualche mese faceva karate, era cintura marrone, era proprio fissata e cercava di convincermi ad andare con lei in palestra. La frase che le ho detto però non c'entra niente con questo, l'ho trovata in un libro che parlava di tutt'altro.

– Comunque l'immagine funziona. Bisogna sapersi adattare all'interlocutore per riuscire a convincerlo. In qualsiasi campo, credo, ma di sicuro nelle indagini. E un'altra cosa importante è offrire, o prospettare, una via d'uscita dignitosa, non umiliante. È quello che fece Carosio con il tizio che diceva di volersi dare fuoco: gli permise di tirarsi indietro, dopo che si era spinto davvero molto avanti, senza avere l'impressione di perdere la faccia. Al contrario: avendo la convinzione di essere stato lui a decidere di rinunciare.

– Il fatto è che quando discutiamo con qualcuno, se l'argomento ci sembra importante e se i toni si accendono, vorremmo sempre stravincere. Vorremmo inchiodare l'altro, vorremmo che riconoscesse che noi abbiamo ragione e lui, o lei, torto.

– Ed è una pura questione di ego. Mentre l'ego dovrebbe essere escluso dall'orizzonte di qualunque transazione con gli altri, di qualsiasi tipo, sia professionale sia personale. Sai qual è la regola fondamentale per la gestione dell'ordine pubblico? Cioè quando le forze di polizia devono occuparsi di manifestazioni di piazza, anche potenzialmente violente, in cui potrebbero esserci cariche, scontri, disordini?

– Non ne ho idea.

– Bisogna sempre lasciare ai manifestanti una via di fuga. Se li carichi e non sanno da che parte scappare, si difenderanno disperatamente, all'ultimo sangue. Sono questi i casi in cui le manifestazioni finiscono male, con danni alle cose, con feriti, a volte pure con morti. Lasciare una via di uscita è una regola fondamentale. Se vinci contro qualcuno umiliandolo, se *stravinci*, lo ricorderà per sempre. Attenzione: non ricorderà che avevi ragione, ricorderà che lo hai umiliato. E se avrà l'occasione di fartela pagare, puoi scommettere che la coglierà al volo.

– Già. Sembra una cosa tanto ovvia. Una *regola* tanto ovvia. Chissà perché nessuno la rispetta.

– L'ego. Il problema è quasi sempre l'ego. Potremmo chiamarla: la ridondanza dell'ego.

– La ridondanza dell'ego. Lei è molto bravo con le parole.

– Una parte del lavoro investigativo, una parte di cui pochi sono consapevoli, ha molto a che fare con le parole. Per certi aspetti assomiglia a quello dello scrittore di romanzi, o dello storico.

– Non ho capito.

– Le indagini riguardano sempre fatti accaduti nel passato. Il primo compito dell'investigatore è quello di ricostruire quanto si è verificato in un mondo cui ha un accesso solo indiretto. Deve immaginare come potrebbero essere andati i fatti tenendo conto degli elementi a sua disposizione, ovvero degli indizi. *Immaginare come potrebbero essere andati i fatti* significa costruire una storia che contenga una spiegazione plausibile di tutti gli indizi che abbiamo, pochi o molti che siano. In questo senso l'investigatore è un costruttore di storie. E per costruire buone storie le parole sono importanti.

Giulio sbarrò gli occhi in un'espressione di divertita incredulità.

– Quindi si potrebbe dire che l'arte di investigare è l'arte di costruire storie?

Fenoglio ci pensò un po' su.

– È una buona definizione, ma forse ne sceglierei un'altra. Direi che l'investigazione è l'arte di guardarsi attorno; sia in senso materiale sia in senso metaforico.

– Come ha fatto lei nello studio del medico.

– In un certo senso, anche se le cose sono un po' piú complicate. Adesso però dobbiamo proprio andare. Ci vediamo domani e ti racconto il resto.

La mattina dopo Fenoglio si svegliò con un senso di urgenza emozionante e dimenticato. Aveva voglia di andare alla seduta di fisioterapia e aveva fretta di completare quella storia, come se lui stesso dovesse ancora scoprirne il finale.

6.

Tornai al mio alloggio in caserma, mi tolsi la divisa, feci la doccia, mi vestii in borghese, controllai di avere il tesserino, inserii il colpo in canna nella pistola, abbassai il cane, misi la sicura, scesi in strada, chiesi una sigaretta a un passante.

Mi concentravo su ogni gesto per evitare che mi prendesse il panico. Naturalmente ne sono consapevole adesso. Allora semplicemente mi aggrappavo d'istinto alle singole azioni perché avevo una confusa percezione di camminare in bilico su un cornicione dal quale era facile scivolare.

Il tizio abitava in una palazzina anni Cinquanta annerita da un velo di smog che dava un senso di grande malinconia. Anche questo lo rammento con precisione. I miei sensi erano acuiti dall'enormità di ciò che mi accingevo a fare. Credo per non lasciare spazio al pensiero delle possibili conseguenze se qualcosa fosse andato storto.

Citofonai, e mi resi conto delle pulsazioni veloci e violente nel collo e sulle tempie.

In quei secondi di attesa considerai che forse potevo ancora tirarmene fuori senza danni. Potevo scappare via prima che qualcuno rispondesse, telefonare alla centrale operativa da una cabina telefonica e dire al centralinista che andassero a sentire un tale Osvaldo Baresi, paziente del medico assassinato: era probabile che sapesse qualcosa di utile alle indagini. Poi avrei riattaccato prima che il collega potesse chiedermi altro.

All'epoca individuare il telefono dal quale era partita una chiamata era infinitamente piú difficile di adesso. Richiedeva un servizio che si chiamava *blocco*, che doveva essere predisposto in anticipo e che implicava la partecipazione di un tecnico della Sip a presidiare la linea.

Il pensiero di quella via d'uscita mi tranquillizzò come un ansiolitico a effetto immediato. Poi dal citofono uscí una voce nasale.

– Chi è?

– Carabinieri. Dobbiamo farle qualche domanda.

Quello non disse niente e la serratura del portone scattò con un ronzio nervoso. Non sapevo a che piano abitasse Baresi, perciò salii a piedi, controllando i nomi sui campanelli. Sul pianerottolo del terzo piano una porta si aprí.

L'uomo aveva qualcosa di intorpidito, nell'espressione ma anche nella stessa fisionomia. Nondimeno gli occhi gli si spalancarono: ero un ragazzo – senza divisa dimostravo anche meno dei miei ventitre anni – ed ero da solo.

– *Lei* è un carabiniere?

Parlava quasi a fatica, ma anche cosí riuscí a esprimere una nota di stupore. Gli mostrai velocemente il tesserino, senza dargli il tempo di leggere il mio nome: se qualcosa fosse andato storto magari non sarebbe riuscito a identificarmi.

Era un uomo alto, dall'ossatura pesante, molto piú grande di me, con le sopracciglia foltissime e gli occhi infossati. Ricordava un poco Primo Carnera, anche se non era altrettanto gigantesco. Istintivamente toccai il calcio della pistola infilata nella cintura, per controllare che fosse lí.

– È solo in casa?

– Sí.

– Avrei bisogno di parlarle qualche minuto. Le dispiace farmi entrare?

Lui non si mosse. Non eravamo vicinissimi, ma riuscivo a sentire il suo alito. Era acido e selvatico, con una specie di nota chimica. Rimanemmo in quella posizione, lui appena dentro e io appena fuori, per parecchi secondi.

– Signor Baresi, se non mi lascia entrare dovrò chiederle di seguirmi in caserma.

Riuscii a evitare che la voce mi tremasse, ma è inutile dire che non sapevo cosa avrei fatto se avesse risposto che non voleva farmi entrare.

Alla fine si scostò.

La casa era ordinata in modo angoscioso; gli avvolgibili erano abbassati e c'era odore di chiuso. Sugli scaffali erano allineati vocabolari, un paio di enciclopedie e un quantitativo sterminato di numeri della «Settimana Enigmistica».

– Le piace l'enigmistica?

Quello mi guardò molto stupito, neanche avessi parlato in una lingua straniera che lui conosceva poco.

– Sí, – disse infine.

– A me piacciono i rebus. È stato un mio zio a insegnarmi.

– Anche a me piacciono. Mi piacciono pure le parole crociate, le sciarade, gli indovinelli.

– Da quanto tempo colleziona la «Settimana Enigmistica»?

– Ventisei anni, tre mesi e due settimane. Non mi manca nemmeno un numero.

– Lei si chiama Osvaldo, vero?

– Osvaldo. Era il nome del nonno.

– Io mi chiamo Pietro.

Annuí e dopo qualche attimo mi tese la mano nel modo formale dei bambini che vogliono comportarsi da adulti; era grande, morbida e calda. Mi fece un cenno perché mi accomodassi e io provai una fitta inspiegabile di dispiacere per lui.

– Cosa la attira dell'enigmistica? – gli chiesi.

Fu la prima volta che accennò un sorriso.

– L'ordine. Il fatto che tutto sembra complicato e poi d'un tratto le cose vanno al loro posto.

– Le cose vanno al loro posto. Giusto. Bello.

Lasciai passare parecchi secondi. Non era una tattica, non conoscevo tattiche, allora. In un modo difficile da spiegare, la conversazione mi stava incuriosendo, indipendentemente dal motivo per cui ero là.

– Abita da solo?

– Sí. Prima c'era mia madre, ma è morta due anni fa.

– Mi rincresce.

Lui si strinse nelle spalle, ma non era un gesto di noncuranza. Rassegnazione, piuttosto; una consapevolezza ingenua e profonda.

Mi spiegò che prendeva la sua pensione, lui non aveva mai lavorato. Da ragazzo andava all'università, medicina; aveva ottimi voti. Poi un giorno, da un momento all'altro, aveva smesso di studiare, aveva smesso di uscire, aveva smesso qualunque attività. Se ne stava a letto tutto il giorno, nella stanza buia, senza fare nulla: senza *voglia* di fare nulla.

Aveva preso tante medicine, erano passati degli anni, alla fine era stato meglio, ma non aveva piú ricominciato gli studi.

A un certo punto mi disse dei mal di testa.

– Da quando mamma è morta ho dei mal di testa fortissimi. Anche lei li aveva. Cosí forti che a volte bisognava darle i sali perché si riprendesse. Da che è morta sono venuti a me.

– Molto forti?

– Molto forti.

– Ha fatto qualche controllo?

– Tutti i controlli. Elettroencefalogramma, radiografie. Ma non ho niente, a parte il dolore.

– C'è qualche farmaco che le dà sollievo?

Annuí, con espressione assente, pensosa.

– Mi passa con l'Optalidon. Ma lui dice sempre che ne prendo troppi.

– Lui chi?

– Il dottore.

Sentii un brivido lungo la schiena. È una frase fatta, ma andò proprio cosí: una scossa che partiva dalla parte bassa della schiena e arrivava fino alla nuca.

– Oggi è stato nel suo ambulatorio?

Ignorò la mia domanda.

– Il farmacista non me lo dà, l'Optalidon, senza ricetta.

– In effetti non può.

– Ma lui ha detto che me ne aveva già fatta una qualche giorno fa. Ha detto che dovevo averne ancora, di pillole. Se le avevo terminate significava che ne avevo prese troppe o che le vendevo. Ma io non le vendo a nessuno. Ha detto che se volevo mi poteva scrivere un'altra medicina, ma non l'Optalidon, che è troppo forte.

Scosse il capo, come per scacciare un pensiero fastidioso o come per un dolore improvviso.

– Io mi sono arrabbiato e ho detto che le altre medicine

non mi facevano un cazzo e gli ho dato dei pugni in faccia e gli ho detto che se non mi scriveva la ricetta lo ammazzavo. Lui si è spaventato, piangeva e la ricetta l'ha scritta e io me la sono presa. Me ne stavo andando.

Si bloccò, come se il racconto finisse lí. Aspettai, ma lui non sembrava intenzionato a proseguire.

– Se ne stava andando. E poi? – dissi, dopo forse un minuto di silenzio quasi insostenibile.

– Si è messo a gridare. Ha detto che ero un delinquente, che mi avrebbe denunciato ai carabinieri. Queste cose.

– E allora?

Strizzò gli occhi.

– Non mi ricordo bene. È successo un casino... c'era un coso pesante sulla scrivania...

– Un coso pesante?

– Un posacenere... lui è caduto e io me ne sono andato.

– Dove lo ha messo quel posacenere?

Baresi assunse un'espressione concentrata, quasi gli avessi posto una domanda complessa che richiedeva una particolare riflessione. Dopo un paio di minuti si alzò e scomparve nell'altra stanza.

Rientrò nel soggiorno quasi subito.

– Mi pare fosse questo.

Lo disse con calma, con distacco. Era perplesso, non saprei in che altro modo descriverlo. In mano aveva un grosso oggetto di marmo bianco con dei piedini e la scultura di una sirena in bronzo. Un oggetto molto brutto.

– Se non le dispiace dovremmo portarlo insieme nel mio ufficio. Lei e io.

– Vado a prendere la giacca, – e mi porse il soprammobile. Cioè l'arma del delitto.

– Lo poggi sul divano. E, per piacere, prenda uno strofinaccio o un fazzoletto, e un sacchetto di plastica.

Pure su questo non fece obiezioni. Andò di nuovo nell'altra stanza e poco dopo ritornò con la giacca, uno strofinaccio pulito e piegato, e un sacchetto di plastica anch'esso ben piegato, nel tipico modo di chi li conserva tutti in modo ossessivo.

E insomma, qualche minuto dopo eravamo per strada.

Avevo pensato di chiamare un'auto che ci accompagnasse entrambi in caserma per evitare quella passeggiata surreale, ma subito dopo mi ero chiesto cosa avrei potuto dire al centralinista: che ero il vicebrigadiere Pietro Fenoglio e chiedevo un'auto per accompagnare in caserma un sospettato di omicidio che avevo individuato e indotto a confessare grazie a una indagine autogestita di cui non avevo informato nessuno?

Mi era parso un discorso di una difficoltà insormontabile. Dunque lasciai perdere, in fondo la caserma non era troppo lontana.

Lui era tranquillo, non mostrava alcun segno di inquietudine. Camminava molto piano, con un'espressione assorta. Io avrei voluto correre e invece dovevo sforzarmi, rallentare per mantenere il suo passo.

Ci mettemmo una mezz'ora per arrivare, ed ebbi il tempo di pensare a come avrei spiegato la situazione. Decisi che avrei raccontato una storia totalmente inventata. La verità avrebbe fatto incazzare tutti.

Perché avevo preso un'iniziativa individuale senza averne titolo, perché avevo manipolato un reperto, perché avevo interrogato un indiziato al di fuori di ogni formalità e garanzia. Ma soprattutto perché io – un ragazzino appena entrato nell'Arma – ero stato piú bravo di loro.

Dunque dovevo tenere per me quello che era successo davvero. Dovevo consegnare una verità piú rassicurante. Cioè una bugia ben confezionata che sembrasse piú vera della verità e che dunque non creasse problemi a nessuno.

Fu cosí che entrai in contatto, in maniera precoce, con un concetto fondamentale del mondo delle indagini e (di questo mi sarei reso conto parecchio tempo dopo) dei processi: tutti, in qualche modo, mentono. Mentono agli altri e mentono a sé stessi. Mentono sulle loro azioni e mentono sui veri motivi di quelle azioni.

Ci sono quelli che lo sanno, pochi, e quelli che non lo sanno, la maggioranza. L'unica differenza è questa.

In quell'occasione ho cominciato a capire anche un'altra cosa.

Salvo rare eccezioni, le indagini non sono procedure lineari. Il risultato investigativo – ma in realtà piú in generale la nostra comprensione delle esperienze – dipende da un procedere per tentativi. Non sappiamo con precisione cosa stiamo facendo. A volte non ne abbiamo la minima cognizione. Si tocca qua e là, si fanno domande a casaccio, si nota un dettaglio fuori posto e si controlla se è fuori posto per caso o per una ragione precisa. E quando le cose vanno bene la soluzione sembra il risultato di una sequenza ineluttabile: l'intelligenza al lavoro come un laser per la scoperta del colpevole. Ma è una considerazione a posteriori.

Non è cosí. L'impasto delle buone indagini è fatto di errori, improvvisazione e, appunto, fortuna.

Una delle differenze fra gli investigatori bravi e quelli mediocri sta in questa consapevolezza. Il bravo investigatore sa che la fortuna è importante e cerca di mettersi nelle condizioni perché gli eventi propizi siano piú probabili. Ed esiste una sola tecnica per fare questo, nelle indagini e in generale nella vita: moltiplicare le occasioni. Cioè moltiplicare i tentativi, senza preoccuparsi del fatto che molti di essi saranno dei fallimenti. I migliori sono quelli che sanno fallire rapidamente, con eleganza e senza conseguenze. Sono quelli che sanno usare l'errore e il dubbio come strumenti di lavoro.

– Come hai fatto? – mi chiese il capitano mentre ero in piedi davanti alla sua scrivania. Mi ero preparato la risposta. Me l'ero preparata e me l'ero ripetuta piú volte, per raccontarla in modo convincente.

– Un confidente, signor capitano.

– Un confidente, eh? Da quanto tempo sei nell'Arma?

– Quasi due anni.

– Quasi due anni incluso il corso?

– Signorsí.

– E insomma hai ancora la bocca sporca di latte e hai già i confidenti. Va bene. Va bene, vai avanti. Che ti ha detto questo tuo misterioso confidente?

– Mi ha detto che sapeva chi era stato e mi ha detto che mi avrebbe portato dalla persona. Ha messo come condizione che fossi solo io. Non sapevo che fare, non riuscivo a capire se era una cosa seria o no. Cosí mi sono detto che sarei andato a vedere di che si trattava e, se davvero c'era qualcosa su cui lavorare, vi avrei chiamato.

– E come mai non l'hai fatto?

– Signor capitano, quando ho bussato e mi sono qualificato lui è crollato immediatamente. Ha detto qualcosa del tipo: «Come siete riusciti a trovarmi cosí presto?»

L'ufficiale mi guardò con espressione stupefatta. Non

poteva credere all'esibizione di faccia tosta che si stava svolgendo davanti ai suoi occhi.

– Ti chiami Pietro Fenoglio, giusto?

– Signorsí.

– Quanti anni hai?

– Ventitre, signor capitano.

– Quindi, vicebrigadiere Fenoglio Pietro, di anni ventitre, tu pensi che io creda a questa storia?

– Non saprei, signor capitano.

– Tu al mio posto ci crederesti?

– Francamente no.

– E allora perché me l'hai raccontata?

– Perché è vera, signor capitano.

Si schiarí la gola in un modo che mi parve minaccioso, ma invece di parlare tirò fuori dalla tasca della giacca un pacchetto di Muratti e se ne accese una. Mosse un po' la testa, come ad accompagnare qualche battuta di un soliloquio interiore, e parlò ad alta voce dopo aver fumato metà della sigaretta.

– Fenoglio. C'è una cosa che voglio dirti perché tu non ti convinca di essere troppo piú furbo degli altri.

Aspettò qualche secondo per assicurarsi che non avessi osservazioni e riprese:

– Sono sicuro che non c'è nessun confidente. Sono sicuro che sul posto c'era qualcosa di cui tu ti sei accorto e quei coglioni dei miei no. Probabilmente sei stato bravo, ma di certo hai avuto culo. Non pensare che lo avrai sempre, il culo. Se le cose vanno bene ti viene perdonato anche di essere lo stronzetto presuntuoso che evidentemente sei. Se le cose vanno male, e prima o poi capita, tutti non vedranno l'ora di fartela pagare. È stato un ragionamento chiaro?

– Sí, signor capitano.

Fece un gesto spazientito. Non gli avevo dato soddisfazione e questo lo infastidiva, quasi quanto il fatto di non avere capito cosa era successo davvero.

– Va bene, ora sparisci. Dalla settimana prossima lavori qui al nucleo operativo. Prega che non mi debba pentire.

7.

Giulio si grattò la testa, con l'espressione di uno che vorrebbe dire molte cose e non sa da dove cominciare. C'era nei suoi occhi un bagliore di curiosità incontaminata.

– Ma poi cosa scrissero nell'informativa per il magistrato?

– Allora si chiamava *rapporto*. Lo ricordo quasi a memoria, scrissero che «personale del nucleo operativo, nelle incessanti indagini – nei rapporti allora e nelle informative oggi le indagini sono sempre incessanti – espletate nell'immediatezza del fatto, aveva individuato, anche con il contributo di fonti confidenziali, un paziente del dottore con problemi psichici che poteva aver commesso il fatto. Il suddetto soggetto, condotto negli uffici del nucleo operativo aveva confessato e aveva altresí spontaneamente consentito il reperimento dell'oggetto utilizzato per la commissione del delitto» eccetera.

– Ma dissero che era stato lei a rintracciare il colpevole?

– Ovviamente no. In quel rapporto, e in tutto il fascicolo relativo all'omicidio del medico, il mio nome non è mai entrato. Però, almeno, raccontarono proprio la storia che mi ero inventato io. È stata la prima volta, e non l'ultima, in cui ho visto una mia bugia diventare una verità certificata, ufficiale.

– E Osvaldo Baresi? Cosa gli successe dopo?

– Confessò con calma davanti al pubblico ministero. Poi confermò la confessione davanti al giudice istruttore il quale dispose una perizia psichiatrica. Le conclusioni furono che Baresi era parzialmente incapace di intendere e di volere. Finí con un processo tranquillo in Corte d'Assise e con una pena abbastanza mite, forse dieci anni. Non ne ho piú saputo niente. Ora, prima che Bruna ci becchi a chiacchierare e ci metta la nota sul registro, facciamo i piegamenti e gli affondi che ci ha ordinato.

Eseguirono insieme i piegamenti e gli affondi. I movimenti erano quasi normali e i muscoli facevano male di un dolore sano. Fenoglio avvertí un senso di euforia. Non si sentiva cosí bene da molto tempo. Dipendeva dal corpo che riprendeva a funzionare, c'entrava quel senso di benessere, ma non solo. C'entravano pure le conversazioni con Giulio. E c'entrava il fatto che, forse per la prima volta, stava raccontando sé stesso, e il racconto lo incuriosiva.

– Quanti anni ha detto che aveva quando è successa questa storia? – domandò Giulio.

– Ventitre.

– Cioè praticamente la mia età. Ma io non ho la piú vaga idea di cosa fare nella mia vita. Di cosa fare *della* mia vita, come le ho già detto.

– Se non fossi entrato per caso nei carabinieri, anch'io sarei stato ancora all'università, a ventitre anni, – replicò Fenoglio.

Giulio abbassò lo sguardo e scosse la testa con energia, serrando le labbra. Non dissentiva su quello che aveva appena ascoltato, dissentiva da sé stesso. Su cosa, non lo disse.

– Ho ripensato al modo in cui ieri ho definito l'investigazione, – continuò Fenoglio.

– L'arte di guardarsi attorno. Mi è piaciuta molto.

– Credo sia il caso di essere piú precisi.

– In che senso?

– In molti ritengono che il bravo osservatore sia quello capace di cogliere l'essenza di una situazione con un rapido colpo d'occhio. In realtà è quasi il contrario. Nietzsche ha detto che la filologia è l'arte di leggere lentamente; ecco, forse questa frase si può prendere a prestito per descrivere il metodo, e dunque l'arte, dell'indagine. Investigare è l'arte di osservare lentamente. E non parlo solo dell'investigazione giudiziaria o di polizia.

– Osservare lentamente...

– Credo che la chiave sia: porsi domande su quello che si sta guardando e, piú in generale, su quello che si sta percependo. Solo cosí smetti di dare le cose per scontate e cominci a *vedere* davvero ciò che ti circonda. Immagino sia una qualità richiesta anche a un bravo scrittore: registrare cose che hanno visto tutti e mostrarle come se fosse la prima volta, come se prima non le avesse mai notate nessuno.

– Quello che piacerebbe fare a me, – disse Giulio, serissimo.

– E volendo approfondire, l'abilità piú grande non sta nel cercare quello che c'è, ma nel trovare quello che non c'è. Come nella storia di Silver Blaze.

– Chi è?

– Un cavallo. Un cavallo rubato in un racconto di Conan Doyle. Il caso del furto viene risolto perché Sherlock Holmes si rende conto di una cosa che *manca*, non di una cosa che c'è: un cane che avrebbe dovuto abbaiare non ha abbaiato. Cogliere questa assenza diventa la chiave per capire chi è il colpevole.

– Una volta ho letto che in un testo letterario la cosa fondamentale è ciò che è stato tagliato, gli spazi bianchi, le discontinuità. Ciò che *non* è scritto.

– Proprio cosí. Poi c'è un'altra cosa importante.

Giulio lo guardò, in attesa. Fenoglio fu attraversato da un pensiero pauroso ed esaltante. Se non avesse incontrato il ragazzo forse non avrebbe mai condiviso con nessuno quelle riflessioni. Probabilmente quelle idee, quei pensieri – buoni o mediocri che fossero – sarebbero andati perduti assieme a tutto il resto, se non fosse comparso qualcuno ad ascoltarli. Per qualche istante assaporò un senso di vertigine, come se stesse contemplando diritta negli occhi la propria mortalità. Poi riprese:

– Osservare lentamente non significa solo osservare in senso fisico, usando il senso della vista. Significa mettere in discussione le proprie convinzioni, non rimanere vincolati alla prima ipotesi, o magari a uno schema che in passato ha funzionato e che stavolta potrebbe non andare bene. Per abitudine tendiamo a replicare le strategie che hanno prodotto risultati, e questo in sé non è un male. Il problema sorge quando queste strategie non funzionano piú e noi insistiamo a ripeterle solo perché non riusciamo a immaginarne altre.

– Einstein diceva che la pazzia è continuare a fare la stessa cosa aspettandosi risultati diversi.

– Bella. E sí, è come se uno possedesse una chiave che in passato ha aperto una porta e cercasse di usarla per tutte le altre porte chiuse che si trova davanti. A proposito di chiavi, la conosci la storia dell'ubriaco sotto il lampione?

– No.

– Allora, c'è questo tizio visibilmente ubriaco che cerca

qualcosa sotto un lampione e si dispera perché non trova nulla. Un poliziotto gli si avvicina e gli chiede quale sia il problema. Il tizio gli spiega che ha smarrito le chiavi di casa. «È successo proprio in questo punto?» domanda il poliziotto. «No, in quel vicolo», risponde l'ubriaco. «E allora perché le cerca qui?» domanda stupito l'agente. «Perché nel vicolo non c'è luce».

Giulio sorrise. La piega dolorosa sembrava meno che un ricordo, in quel momento. Fenoglio pensò che forse avrebbe dovuto dire al ragazzo di dargli del tu. Poi decise che no, che era giusto cosí.

Giusto, cosí.

– Va bene, Giulio. Si chiacchiera davvero tanto. Ci vediamo domani.

8.

Il giorno seguente Bruna era seduta alla scrivania nell'anticamera delle tre stanze-palestra. Compilava dei moduli, probabilmente relativi alla situazione e ai progressi di un paziente. Aveva gli occhiali da lettura e Fenoglio pensò che era ancora piú attraente. Pensò proprio queste testuali parole: «Con gli occhiali è ancora piú attraente». E pensò che doveva trovare il modo di dirglielo, e un istante dopo che doveva smetterla con certe svenevolezze da liceale.

– Buongiorno maresciallo, – lo accolse lei togliendosi gli occhiali, ignara dell'animato colloquio interiore che si era appena svolto in sua presenza.

– Buongiorno, sono arrivato un po' in anticipo. Non volevo disturbarla, finisca pure quello che stava facendo.

– Quando devo occuparmi di questa roba noiosa spero sempre che qualcuno venga a interrompermi. Allora, mi sembra che vada tutto ottimamente. Diciamo pure che dalla settimana prossima può fare a meno di portarsi dietro quella, – disse indicando la stampella che Fenoglio ormai teneva sotto braccio, sentendosi vagamente ridicolo.

– Ah, bene, – rispose lui un po' impacciato, considerando con una punta di sgomento che piú le sue condizioni miglioravano, piú si avvicinava il momento in cui non sarebbe piú andato lí e dunque non avrebbe piú visto Bruna. E il ragazzo.

La vita è tanto bizzarra, si disse.

– Avevo ragione che Giulio è un ragazzo interessante? – chiese la fisioterapista.

– Lo è. Per certi aspetti sembra parecchio piú grande della sua età, per altri...

– Sembra fragile.

– Esatto, fragile.

– Lei ha figli, maresciallo?

– No. Purtroppo no. Non... non è stato possibile.

– Mi perdoni, sono stata indiscreta. È una mia regola non fare domande di questo genere, soprattutto sul lavoro. Sto sempre molto attenta, non so cosa mi abbia preso.

Ecco, per la prima volta la maschera cortese, ironica e indecifrabile della donna pareva cadere. Fenoglio si sentí tremare le gambe davanti a quell'improvvisa vulnerabilità.

– Non si preoccupi, non è stata indiscreta. Era una curiosità normale. Avrei voluto, con mia moglie ci sarebbe piaciuto, ma non è successo. Abbiamo fatto tutte le analisi, ed è risultato che era colpa mia –. Pronunciò l'ultima frase in fretta, come temendo di non riuscirci.

– Colpa mia. Che espressione assurda. Che c'entra la colpa?

– Niente, in effetti. Però le parole che scegliamo, soprattutto quelle inconsapevoli, riflettono il nostro modo di vedere le cose. Giusto o sbagliato che sia –. Ci pensò per qualche istante, poi aggiunse: – Perlopiú sbagliato.

– Insomma, si sente in colpa. Sua moglie è della stessa opinione?

– Non è piú mia moglie. E anche se non lo avrebbe mai ammesso, nemmeno con sé stessa, temo che sí, fosse della stessa opinione. Lei ha figli?

– Due. Femmina e maschio, – rispose Bruna, quasi scusandosi.

– Di che età?

– Venticinque e ventitre.

– Studiano?

– Il grande, Roberto, si è laureato in Medicina a Pavia e sta facendo la specializzazione. Diventerà anestesista. La piccola, Agnese, sta per laurearsi in Fisica, a Pisa.

Fenoglio eseguí un rapido calcolo mentale; era improbabile che Bruna avesse meno di cinquant'anni.

– Complimenti. È una mamma fortunata.

– Fortunata e sola. Sono andati via, non torneranno piú. Ma sí, non posso lamentarmi. Il mio ex marito è una persona civile e benestante. Questo ha permesso ai ragazzi di frequentare l'università fuori, che è un bel privilegio. Per quanto mi riguarda, ho il mio stipendio e me lo faccio bastare; ma non sarebbe stato sufficiente se mi fossi dovuta occupare delle spese di Roberto e Agnese.

– È una buona cosa quando due persone si separano in questo modo.

– Io ho molta stima, oltre che affetto, per il mio ex marito. La separazione non è dipesa da lui; avrebbe avuto parecchi motivi per non comportarsi nel modo impeccabile in cui si è comportato.

Rimasero cosí, in sospeso, dopo quelle rivelazioni reciproche e inopinate. Due porte spalancate d'un tratto da un colpo di vento.

In quel momento comparve Giulio. Bruna, con uno scarto collaudato del viso, recuperò l'espressione sorridente e impenetrabile.

– Oggi è una cosí bella giornata, – disse, – forse potreste andare in giardino, camminare e fare ginnastica a intervalli, nel verde –. Consegnò loro una scheda con la sequenza degli esercizi. – Credo ne basti una sola per entrambi. Ho notato che riuscite a tenere il ritmo insieme. Quando avete finito ci rivediamo qui e facciamo un controllo sulla flessibilità.

9.

Il giardino era molto ben tenuto – Fenoglio pensò che nelle tre settimane trascorse lí non ci aveva mai fatto caso – e nell'aria si sentiva il profumo dell'erba appena tagliata.

– Bruna è una donna affascinante, – disse Giulio, dopo qualche esercizio e qualche minuto di camminata silenziosa.

– Lo credo anch'io.

– Insisto: secondo me lei le piace.

– Se le piaccio, lo nasconde molto bene.

– O forse, semplicemente, lei non se ne accorge. Con tutta la sua bravura a guardarsi attorno, avrà pure un punto cieco, come negli specchietti retrovisori.

Fenoglio non trovò nulla da replicare, perciò rimase zitto; in certi casi è sempre una buona idea. Il ragazzo continuò.

– Alcuni giorni fa, forse proprio il giorno prima che lei e io ci conoscessimo, mi ha detto una cosa che mi ha colpito moltissimo. Bruna, intendo.

– Cosa?

– Che cammino un po' curvo. Non c'entra niente con l'incidente, ho sempre camminato in questa maniera. Quando stavo per tornare a casa mi ha rimproverato: «Devi stare in piedi ben diritto, con il mento alzato, e guardare in faccia il mondo». L'ha detto cosí, senza che ci fosse una ragione particolare, in quel momento.

– Tu che hai risposto?

– Niente. E lei ha continuato dicendo che stare ben diritti non è solo una questione di postura fisica. Stare in piedi in quel modo, deliberatamente, è una questione di postura morale, significa accettare la responsabilità di essere vivi. Ha a che fare con la dignità di essere donne e uomini di fronte al caos dell'universo.

– Ha detto cosí?

– Sí.

Il ragazzo attese qualche istante che Fenoglio commentasse o aggiungesse qualcosa. Poiché non accadeva, proseguí il suo discorso.

– Ho riflettuto un sacco, ieri. Ho messo in relazione quanto mi ha raccontato lei con la frase di Bruna. Non riesco a pensare che tutto questo sia casuale. E comunque mi chiedevo come si fa a guardarsi attorno senza essere condizionati da ciò che si conosce già.

– Hai ragione, noi vediamo soprattutto quello che riconosciamo. Una volta ero in un museo, a Milano. C'erano dei liceali in gita, ma i ragazzi erano perlopiú disinteressati ai quadri e alle spiegazioni dell'insegnante. Io stavo osservando una tela di Carrà, *Estate*: rappresenta due bagnanti che si asciugano dietro a una cabina. A un tratto arrivano tre studenti che si erano staccati dal resto della classe. Passano davanti al quadro e uno di loro si blocca. Attira l'attenzione dei compagni su un dettaglio del dipinto, un dettaglio che io stesso non avevo notato. Fra le due figure femminili, sulla sabbia, c'era una minuscola pianta, quasi invisibile: era cannabis o qualcosa che le somigliava moltissimo. Hanno cominciato a esaminare attentamente l'opera, che se no li avrebbe lasciati del tutto indifferenti; cercavano di capire cosa significasse quella piantina, che evidentemente conoscevano bene, all'interno della scena. Si sono posti delle domande, e sono certo che di quella visita al museo ricorderanno soprattutto, se non solo, quella tela. Devo dire che dopo anch'io mi sono chiesto cosa ci facesse quell'arbusto, collocato lí, in quel punto, in maniera apparentemente incongrua.

– E la spiegazione?

– Ah, io non l'ho scoperta. Comunque il concetto è quello a cui ti riferivi tu. Di regola troviamo qualcosa se sappiamo cos'è o se la sua presenza in un dato posto corrisponde a uno schema. Nello studio del medico i miei colleghi piú anziani erano concentrati su ciò che poteva essere fuori posto, è per questo che non si sono accorti di una cosa perfettamente al *suo* posto, ovvero il blocchetto delle ricette. Io, invece, non avevo un criterio per cercare, e proprio la mancanza di un criterio mi ha permesso di individuare un oggetto risolutivo. Il *criterio*, lo schema, può generare una specie di cecità selettiva.

– Che significa? Bisogna rifiutare gli schemi?

– Non esageriamo. Gli schemi servono. Ci dicono come vanno le cose nella maggioranza dei casi. Se devo fare una perquisizione a casa di uno spacciatore, metterò degli uomini sotto le finestre prima di cominciare le operazioni e, dopo essere riuscito a entrare, correrò nel bagno e infilerò la mano nel water per provare a recuperare la droga che il soggetto potrebbe averci gettato dentro.

– Mentre gli uomini sotto le finestre sono lí qualora la buttasse in strada.

– Appunto. Attenersi a questo semplicissimo modulo di comportamento dettato dall'esperienza è utile. Numerose indagini di droga vanno a buon fine grazie alla sua applicazione. Gli schemi servono per orientarsi nel mondo e per prendere decisioni rapide. Il problema sorge quando i fatti non corrispondono allo schema.

– E allora come ci si comporta?

– Ci si sbarazza dello schema iniziale e si considera un'alternativa. Il che naturalmente è piú facile a dirsi che a farsi.

– Mi fa un altro esempio di schema investigativo?

– Pensa agli omicidi. Esclusi gli episodi legati alla criminalità organizzata, che sono facilmente riconoscibili e costituiscono un settore investigativo a parte, le statistiche dicono che nella grandissima maggioranza dei casi la vittima conosceva il suo assassino. Per questo i primi accertamenti riguardano sempre le persone vicine, gli ultimi contatti, l'esistenza di rapporti difficili, ostilità personali o professionali eccetera. Lo schema è utilissimo e spesso consente di chiudere l'indagine. Spesso, ma non sempre. Allora bisogna guardarsi attorno, immaginare scenari diversi.

Per qualche minuto la conversazione si interruppe. Appoggiandosi a due alberi Pietro e Giulio si piegavano sulle gambe e, risaliti, portavano in alto prima un ginocchio poi l'altro. Forza, equilibrio, fiato. Un esercizio troppo impegnativo per essere compatibile con la conversazione.

Si rimisero in cammino.

– Esiste una *tecnica* per costruire nuove ipotesi? – chiese il ragazzo.

– Bisogna sforzarsi di cambiare punto di vista. Guardare le cose dalla prospettiva di chi ha un interesse diverso dal tuo. Questo metodo me l'ha insegnato un magistrato, si chiamava Colonna; faceva il giudice istruttore, con il vecchio Codice. A volte il pomeriggio passavo a trovarlo in ufficio. Mi piaceva molto chiacchierare con lui.

Era trascorso davvero tanto tempo. Fenoglio ebbe l'immagine mentale di una foglia secca che si sbriciola fra le dita. Il tempo. Era un giovane sottufficiale, il mondo era fatto di colori sbiaditi, c'erano i terroristi, le 127, le partite di calcio in differita il pomeriggio della domenica sulla Rai, la filodiffusione con il quinto canale che trasmetteva la musica classica, l'Unione Sovietica, Berlinguer.

Gli piaceva Berlinguer. Gli piaceva cosí tanto che, senza dirlo a nessuno, dalla metà degli anni Settanta aveva cominciato a votare per il Partito comunista. L'opinione comune fra i suoi colleghi era che lui fosse un tipo strano. E ai tipi strani, in ogni ambiente, sono concesse delle libertà. Fino a un certo limite. Votare Partito comunista era decisamente oltre quel limite di tolleranza, per un sottufficiale dell'Arma dei carabinieri. In realtà, se qualcuno gli avesse chiesto se era comunista, Fenoglio avrebbe risposto, quasi stupito per la stranezza della domanda, che certo no, non lo era. Votava per il partito di Berlinguer, era una cosa diversa. Una sottile distinzione intorno a cui, in ogni caso, non avrebbe mai innescato un dibattito con i superiori.

– E adesso dov'è questo giudice?

La domanda del ragazzo lo risvegliò dal monologo interiore.

– Non so. È andato via da Bari parecchi anni fa. Probabilmente è in pensione, è da molto che non ho sue notizie.

– Era piú grande di lei?

– Sí. Dieci, forse quindici anni.

Fenoglio si soffermò un attimo su quella frase e sulle sue implicazioni.

Da bambino aveva elaborato una classificazione per le età della vita adulta che ultimamente riaffiorava alla sua memoria con fastidiosa frequenza, come certi spiacevoli sogni ricorrenti.

In quella classificazione a cinquant'anni eri un adulto anziano; a sessanta cominciavi a essere un vecchio; a settanta eri nel pieno della vecchiaia; a ottanta eri vecchissimo, una creatura quasi impalpabile.

Ebbe un brivido per quella fredda folata di consapevolezza e si rese conto che nemmeno sapeva se Colonna fosse ancora vivo. Non era assurdo essere stati tanto in confidenza con una persona per poi perderne ogni traccia, per non saperne piú niente? Si riscosse.

– Comunque diceva che dobbiamo trattare con scetticismo le nostre convinzioni investigative. Non dobbiamo fidarci troppo di noi stessi. È giusto cercare gli eventuali elementi che confermano l'ipotesi, ovviamente, ma bisogna andare a caccia anche di quelli che potrebbero smentirla.

– Non mi è chiaro.

– Se hai una buona ipotesi investigativa, ma prendi in considerazione solo quello che la conferma, finirai con l'ignorare tutto il resto. Non *vedrai* tutto il resto. È il sistema migliore per allestire errori catastrofici; prima o poi qualcun altro, un avvocato o il giudice che dovrà valutare il tuo lavoro, si accorgerà di quello che hai ignorato e farà saltare la tua costruzione. E tu dopo, magari, insisterai che sono loro a non aver capito niente, o che addirittura sono in malafede, e questo solo perché sei incapace di vedere al di fuori del tunnel definito dalla tua teoria iniziale. Per provare davvero una congettura, e soprattutto una congettura investigativa, bisogna sforzarsi di demolirla. Solo se resiste a questo tentativo puoi sostenere che è davvero utile a spiegare gli accadimenti.

Il ragazzo pareva assorto. Camminarono, fecero altri esercizi, camminarono ancora.

– E se uno ci riesce, a demolirla? – disse infine.

– Significa che l'ipotesi non era buona. Ma se non ci riesce, avendoci provato davvero, può fidarsene molto di piú.

– Come si fa a cambiare punto di vista?

– Il giudice Colonna sosteneva che un metodo efficace è porsi rispetto al capo di imputazione e agli atti investigativi con l'atteggiamento mentale di un avvocato difensore, cioè andando a scovarne le debolezze. Occorre liberarsi provvisoriamente del proprio punto di vista e adottarne uno opposto.

– Lei fa cosí?

– Ci provo, non sempre mi riesce. A volte, per prendere le distanze da un'interpretazione, basta lasciar passare un po' di tempo. Altre volte è necessario un allontanamento fisico o perfino un rituale. Io, per esempio, in questi casi vado alla pinacoteca che è a due passi dalla caserma. Conosco quasi tutti i quadri a memoria, eppure ogni volta scopro un particolare che mi era sfuggito e ciò spesso mi aiuta, indirettamente, a risolvere un problema investigativo. A ogni modo, guardare i quadri è un ottimo esercizio per imparare a osservare.

Il ragazzo roteò gli occhi, mimando un intenso stupore.

– Ho capito, ho esagerato. È il momento di rientrare, – disse Fenoglio, sorridendo.

– Con tutta l'immaginazione del mondo, mai avrei pensato di fare questo tipo di conversazioni...

– Con un maresciallo dei carabinieri. Non ti do torto, ma la vita è piena di sorprese. Non preoccuparti, domani è sabato e si fa vacanza. Ci rivediamo lunedí.

10.

Il lunedí pioveva. Dunque niente ginnastica in giardino, si disse Fenoglio un po' contrariato mentre usciva di casa e andava a prendere l'auto riparandosi con un ombrello. E la contrarietà aumentò quando scoprí che quella mattina Bruna non c'era; si era dovuta assentare per ragioni personali, disse il suo collega, un tipo appena uscito dall'università che si portava appresso l'inutile saccenteria dei neofiti.

Rimase con Fenoglio e con Giulio per quasi un'ora, seguendo e correggendo e spiegando esercizi che entrambi eseguivano facilmente da tempo. Alla fine disse loro di pedalare una mezz'ora sulla cyclette e si allontanò per occuparsi di qualcun altro.

– Peccato per la pioggia, – fece Giulio.

– Già. Anche se immagino che il giovanotto non ci avrebbe comunque mandati in giardino.

– Niente di peggio che un supplente pignolo.

Fenoglio ridacchiò; si erano spontaneamente sincronizzati su un ritmo di pedalata blando, per poter chiacchierare.

– Mi hai fatto parlare tanto, la settimana scorsa. Raccontami qualcosa di te, adesso.

– Non riesco a definirmi. Credo sia una cosa normale,

ma io avverto la difficoltà in modo molto intenso. Per parecchie ragioni.

– Dimmene una.

– Ho paura di... non so come... Ha presente i fondali dei film? Dietro non c'è niente.

– Addirittura. Perché?

– Credo di non avere reali qualità, a parte una certa bravura nel simulare. I miei amici mi considerano una specie di intellettuale. Io glielo faccio credere. Ma è solo una montatura.

– Non sei un po' duro con te stesso?

Il ragazzo strinse le labbra.

– Provo a spiegarle con un esempio. Qualche sera fa ero con delle persone, si parlava di come sprechiamo il tempo e io ho recitato un verso di Borges che suona piú o meno cosí: «Ci siamo spartiti come ladroni il capitale delle notti e dei giorni».

Fenoglio lasciò che le parole del poeta si depositassero, come oggetti che cadono su un fondo sabbioso sollevando polvere e detriti.

– È molto bello. Da cosa è tratto?

– Da una poesia che si intitola *Rimorso per qualsiasi morte*.

– Molto bello, – ripeté Fenoglio. – E cosa c'entra la simulazione?

– C'entra perché io non ho mai letto quella poesia. Ho letto solo questo verso in epigrafe a un romanzo. Capisce ora cosa intendo?

Fenoglio ignorò la domanda.

– Se dovessi indicare una tua dote, cosa diresti?

– Quando sono di buon umore, il che non capita troppo spesso, faccio ridere.

– Anche questo è truffaldino?

– Credo di no...

– Ho sempre invidiato la capacità di far ridere. È come il senso del ritmo. Avrei voluto avere l'una e l'altro, ma temo non rientrino fra le mie qualità.

Adesso il ragazzo sembrava disorientato. Avere ammesso di possedere un talento gli faceva perdere le coordinate della sua autocommiserazione.

– I tuoi genitori che dicono?

– Che non sono abbastanza aggressivo. Mio padre me lo dice da quando ero un bambino: devi essere piú cattivo; nella vita, senza cattiveria, non si va da nessuna parte. Roba del genere. Con parole diverse mia madre esprime lo stesso concetto. Secondo loro non ho ambizione.

Pedalarono per qualche minuto, in silenzio. Poi Giulio scese dalla cyclette e andò a prendere nel borsone un quaderno con la copertina nera. Lo mostrò a Fenoglio.

– Questo quaderno, le cose che contiene, mi sono tornati in mente quando abbiamo parlato del guardarsi attorno, che poi era un discorso sull'attenzione, credo.

– Lo era.

– Mi sono reso conto che io ho sempre cercato di essere *disattento*, come per una strategia di difesa. Essere troppo consapevole del mondo attorno è... era doloroso per me. Comunque dopo l'altro giorno ho avuto l'impulso di prendere questo quaderno e portarlo... però adesso mi sembra una cosa stupida, cioè non sono piú cosí sicuro...

– Di che si tratta?

– Sono appunti che ho scritto negli anni scorsi, perché non volevo dimenticare. Sa, io non ricordo quasi nulla degli anni del liceo. Quasi nulla a parte i momenti in cui appariva la tristezza.

– Vuoi leggermi qualcosa?

– Sí, ma le ripeto, sono appunti, non hanno una forma compiuta. Non li ho mai letti a nessuno e io stesso non li rileggo da molto tempo. Non so piú nemmeno bene cosa c'è, qui dentro. Potrebbero esserci errori… e se trovo qualcosa che… che non mi sento di dire ad alta voce mi fermo, non se la prenda.

Fenoglio annuí e fece un gesto con la mano, appena accennato. Come dire: decidi tu.

Il ragazzo tirò un respiro profondo.

– *Sensazione fisica cuore che batte forte stato di dissociazione dalla realtà le cose perdono i contorni assenza di connessione e distanza insormontabile fra te e gli altri un senso di irrealtà anche di te stesso non solo degli altri nausea fisica quasi conati di vomito tutto ha luogo alla bocca dello stomaco e hai la sensazione di essere tu la bocca dello stomaco un vortice che ti risucchia in questa parte del corpo lo spazio si restringe addosso come muri che si chiudono ti sembra che non esista altro spazio c'è un punto in cui tutto viene assorbito un punto in cui finisce tutto o forse un punto in cui si capisce che nulla è mai davvero iniziato.*

Giulio si interruppe e Fenoglio si rese conto di avere trattenuto il fiato.

– Be', accidenti…

Il ragazzo deglutí. Lui stesso sembrava sbigottito.

– Di quando è questo? – chiese infine Fenoglio.

– Quattro anni fa.

– Ne hai altri?

Giulio annuí lentamente. Sfogliò le pagine.

– Questo ha la punteggiatura e anche un titolo: *Fase acuta*.

– Vorrei ascoltarlo.

– *È un torpore diffuso, una patina sulle cose, un movimento dell'abitudine. È il passo sonnambulo, lo sguardo perso, occhi che guardano e non vedono. La stanza fluttua in uno spazio senza materia. Ci sono solo io e questa stanza, io e questo muro di fronte a me. Fuori di qui, lo spazio si estende verso distanze impossibili: mentre cammino non esiste piú, e non esistono i miei passi. C'è solo questo muro di fronte a me, e l'eterno chiasso dei miei pensieri. Difficilmente mi sento in compagnia. Io sono l'unica presenza permanente: non piú vicino agli altri, ma piú lontano da me stesso.*

– Hai detto che sono cose scritte quattro anni fa. Adesso la situazione è uguale o è cambiata?

– È cambiata. Non che sia scomparso tutto, ma non è piú cosí intenso. Dopo i primi due anni di università si è ridotto. Leggendo mi sono ricordato pure un'altra cosa.

– Quale?

– Quella sensazione era spesso insopportabile e allora, mi sembra, nella mia mente si produceva una specie di dissociazione a bassa intensità; il mio cervello, o quello che è, aveva deciso che il modo giusto era non dare troppo peso alle entità, interiori ed esteriori, cioè non crederle troppo reali: se non erano troppo reali non potevano provocare troppo dolore. È per questo che il suo discorso sull'attenzione, sul guardarsi attorno, sull'amplificare la percezione mi ha tanto colpito. Mi sono reso conto che era esattamente l'atteggiamento opposto a quello che ho praticato e di cui parlo in questi appunti.

– Una specie di anestesia psicologica, – replicò Fenoglio, serio.

– Non ci avrei pensato in questi termini, ma sí, diciamo una specie di anestesia.

– L'anestesia va bene per brevi periodi. Una persona che è sempre sotto anestesia è come un tossicodipendente: il problema si aggrava senza che lui se ne accorga e rischia di diventare cronico, difficile da curare. I problemi vanno tirati fuori, guardati negli occhi, risolti. Hai mai pensato di chiedere aiuto, un aiuto professionale?

– Si riferisce a uno psicologo o a uno psichiatra?

– Sí.

Giulio scosse la testa.

– Non riesco nemmeno a immaginare in che modo potrei parlarne ai miei genitori. Sarebbe una cosa inammissibile per loro. Addirittura piú per mia madre che per mio padre.

– Io sono stato da uno psicoterapeuta.

Il ragazzo lo guardò con un'espressione di genuino sconcerto.

– Lei?

– Ti stupisce?

– Un po'. È stato utile?

– Sí. Siamo tutti pessimi osservatori di noi stessi. Anzi, per essere piú preciso: siamo tutti fra i peggiori osservatori di noi stessi. Uno dei motivi per cui conviene andare da un professionista è che nelle situazioni di disagio ti occorre un punto di osservazione estraneo e disinteressato su te stesso. La questione non è tanto che lo psicologo o lo psichiatra sappia incasellare il tuo problema in una specifica categoria di disturbo o addirittura di malattia. L'utilità fondamentale consiste nel percepire un punto di vista esterno su di noi. Qualcuno *ascolta* quello che diciamo e questo mette le cose in prospettiva, ci libera dalla sensazione di solitudine.

– Mi piacerebbe sentire altre storie del suo lavoro, – disse Giulio, dopo qualche minuto, solo apparentemente cambiando discorso.

Fenoglio lasciò il manubrio e continuò a pedalare in scioltezza, guardando avanti.

– Storie. Ce ne sono tante, – disse.

11.

Questa storia risale al 1995. Erano gli anni in cui in Puglia si stava diffondendo il fenomeno del cosiddetto pentitismo. *Cosiddetto* perché l'espressione è imprecisa: il pentimento morale non è un requisito per ottenere i benefici previsti dalla legge. Quello che conta è che l'aspirante collaboratore di giustizia renda dichiarazioni attendibili, che offrano un contributo importante sia dal punto di vista investigativo sia dal punto di vista processuale.

Sta di fatto che allora, molto piú di oggi, in tanti si proponevano come collaboratori. Non tutti erano in buona fede, non tutti erano in grado di fornire informazioni davvero utili e gran parte del nostro lavoro consisteva nel cercare i riscontri per distinguere i buoni dai ciarlatani.

L'articolo 192 del Codice di procedura penale dispone che le dichiarazioni dei collaboratori di giustizia siano «valutate unitamente agli altri elementi di prova che ne confermano l'attendibilità». Insomma, senza tali elementi non puoi condannare o arrestare nessuno.

La ragione è abbastanza chiara. Chi collabora ha di solito un interesse ad accusare altre persone. È inaffidabile per definizione: quanto dice deve essere verificato con cura per evitare il rischio della calunnia o dell'errore giudiziario.

Perciò, appunto, cercavamo i riscontri. Quelli sull'attendibilità personale del collaboratore, per poter sostenere che, in generale, era credibile, e quelli *individualizzanti*, per poter sostenere che una specifica parte delle dichiarazioni, relativa a uno specifico soggetto, giustificava un arresto o una condanna.

Spesso questi riscontri erano dati dalle affermazioni di un altro collaboratore, e ciò suscitava un nuovo problema investigativo: occorreva accertare che i due non si fossero messi d'accordo per renderle coerenti; assicurarsi che non fossero stati detenuti insieme, che non avessero in qualche modo comunicato soprattutto nelle settimane, nei mesi precedenti alla scelta di collaborare e via discorrendo.

Insomma, in quegli anni noi e le procure eravamo impegnati in una specie di grande domino, in un gioco di enigmistica con regole fluttuanti e a volte sfuggenti.

Di norma la sovrapponibilità delle dichiarazioni di due collaboratori è una buona cosa. Significa che, probabilmente, i due (o anche piú di due) dicono la verità e che il fatto che riferiscono in modo coerente si è svolto in un certo modo ed è stato commesso da quelle certe persone.

La totale difformità è un problema. Significa che qualcuno sta mentendo o parla di cose che non conosce.

Però anche l'eccessiva sovrapponibilità può essere sospetta. Due persone che riportano un episodio del passato lo fanno sempre con qualche differenza; a volte con notevoli differenze sugli aspetti accessori o su quelli che li hanno piú coinvolti dal punto di vista emotivo. La presenza di differenze nei resoconti – non sui punti sostanziali – è sintomo di spontaneità, un indizio del fatto che non c'è stato un accordo preventivo. Di fronte a due storie *troppo* uguali raccontate da due persone diverse è richiesta una particolare cautela.

Va bene, ho un po' divagato.

Un giorno ricevetti una delega di indagini dalla procura. Era un fascicolo nato dalle dichiarazioni di un pentito, un trafficante, mafioso della provincia di Foggia, noto per una cicatrice sul viso. Quando non era presente, in molti lo chiamavano Lo Sfregiato, ma di fronte a lui nessuno ne avrebbe avuto il coraggio.

Il suo nome era Michele Muto. A pensarci bene, adesso, un nome bizzarro per uno che aveva dato una svolta alla sua vita – e a quella di molti altri – parlando moltissimo.

La cicatrice andava dall'angolo destro della bocca fino all'orecchio. Una coltellata presa quando era ragazzino, a quattordici anni. Il suo avversario – un uomo adulto – alla fine della rissa era morto. Lui si era fatto i suoi primi anni di carcere per omicidio in un penitenziario minorile e al momento della decisione di collaborare con la giustizia poteva raccontare di undici omicidi da lui personalmente commessi.

Io non l'ho mai visto, ma pare che quando sorrideva il viso gli si dividesse in due facce: quella con la cicatrice, che sembrava allargargli la bocca trasformandolo in una specie di Joker, il nemico di Batman; l'altra piú o meno normale. E pare non fosse un bello spettacolo.

I miei colleghi non ne parlavano bene (può capitare che gli sbirri parlino *bene* di un criminale), dicevano che gli era piaciuto ammazzare la gente e che adesso gli piaceva accusare i suoi ex amici. Però, a detta di tutti, era un collaboratore ideale. Intelligente, dotato di ottima memoria, si esprimeva bene e aveva capito subito che fornire informazioni sbagliate o false lo avrebbe esposto a perdere i benefici.

Aveva anche una discreta infarinatura delle regole processuali e gli era chiara la differenza fra cose di cui aveva conoscenza diretta, cose sentite da qualcuno e voci, o dicerie. Queste ultime, in quanto tali, sono completamente inutilizzabili perché impossibili da riscontrare. Se non sai da dove proviene l'informazione non puoi verificare se la fonte è attendibile o no.

Comunque sia, questo tizio raccontò molto, e molto di visto e ascoltato in carcere. Perlopiú si trattava di fatti attinenti alle indagini di criminalità mafiosa. Storie di affiliazioni, di alleanze e di ostilità; reati pianificati in prigione; ordini di commettere omicidi impartiti ai parenti durante i colloqui; complicità di agenti della polizia penitenziaria e via discorrendo.

Alcune sue dichiarazioni riguardavano anche vicende di criminalità comune, tipo corruzione e concussione. Informazioni rimaste impigliate nella sua memoria dopo tanti anni trascorsi nelle case circondariali di mezza Italia.

Fra le tante storie ce n'era una che gli aveva riportato un tale Manzari, detto *U' Gigant'* – il gigante – per via della corporatura. Un barese, cane sciolto, con precedenti per reati contro il patrimonio, droga, armi.

L'uomo aveva l'abitudine di vantarsi, e forse per fare bella figura con un personaggio importate come Muto – che nella gerarchia mafiosa aveva un grado alto, *La Santa*, riservato a chi ha commesso personalmente delitti di sangue – gli aveva confidato di avere rapinato e ammazzato una vecchia, riferendogli anche che per quei reati i carabinieri avevano arrestato un ragazzo che non c'entrava niente.

La vicenda era molto semplice. La donna delle pulizie aveva confidato a Manzari che nell'appartamento c'erano parecchi gioielli e che l'anziana, non fidandosi delle banche, teneva i risparmi a casa.

L'uomo si era introdotto nell'abitazione quando la proprietaria era uscita per andare alla messa del sabato sera, alle diciannove; aveva calcolato di avere circa tre quarti d'ora, cioè un tempo piú che sufficiente.

La signora, però, era rientrata prima del previsto, e Manzari se l'era trovata di fronte nell'ingresso mentre stava uscendo con il borsone pieno. Invece di rimanere pietrificata, quella aveva lanciato un grido tremendo; come un maiale sgozzato, stando al racconto. Il ladro aveva cercato di raggiungere la porta, ma lei gli si era aggrappata a un braccio continuando a urlare. Non esattamente una buona idea, in generale. Una pessima idea se hai ottant'anni e il tipo che vorresti fermare è grande, grosso e cattivo. Per farla breve, lui le aveva sbattuto piú volte la testa contro uno stipite e l'aveva lasciata a terra. Solo priva di sensi, pensava; in realtà moribonda.

Secondo Muto questo signore sembrava divertirsi molto all'idea di ciò che aveva fatto, come fosse stato uno scherzo ben riuscito. Ho ammazzato una e ho mandato in galera un altro. Due al prezzo di una, pare avesse detto, soddisfatto.

Il pentito non sapeva chi fosse la vittima dell'omicidio, a quando risalisse l'episodio e dove si fosse verificato di preciso. Tantomeno chi era il ragazzo condannato ingiustamente.

Non ci volle molto per scoprirlo.

Il fatto era accaduto otto anni prima, quando non ero ancora a Bari. Leggendo il fascicolo sembrava tutto a posto. Indagine apparentemente pulita, senza sbavature. Il caso era stato risolto poco piú di un mese dopo l'omicidio; l'imputato aveva confessato ed era stato condannato a vent'anni di reclusione. Ne aveva scontati quasi la metà.

Passai un pomeriggio su quelle carte con un senso sottile di disagio. Comunque fosse andata, non sarebbe andata bene. Se il pentito aveva ragione, avevamo un innocente in carcere da otto anni; se invece il condannato era il vero autore dell'omicidio, questo avrebbe incrinato l'attendibilità del pentito e avrebbe potuto danneggiare i diversi processi che si basavano sulle sue dichiarazioni.

La vecchietta era stata rinvenuta cadavere in casa dopo qualche giorno. Abitava da sola. Era, come si dice a Bari, una *signorina grande*. Espressione efficace per indicare una vecchia zitella. Non aveva figli, non aveva fratelli in vita e i parenti piú prossimi erano dei nipoti che vivevano in Calabria.

Una salumaia aveva notato la sua assenza. Di regola l'anziana entrava nel negozio ogni giorno per fare la spesa e scambiare due chiacchiere, invece non era passata né il lunedí né il martedí. Cosí la commerciante aveva avvertito la polizia municipale, che però non le aveva dato retta.

Trascorsi un altro paio di giorni, decisamente allarmata, informò i carabinieri. Dalla stazione competente per territorio mandarono un giovane brigadiere che citofonò, ma nessuno rispose. Il militare allora entrò nel palazzo, salí al pianerottolo e provò a bussare; nessuno venne ad aprire. Mentre stava lí, chiedendosi che fare, avvertí un cattivo odore. Era alle prime armi, non aveva mai sentito una puzza di quel tipo: non l'avrebbe dimenticata mai piú.

Riferí dunque al maresciallo comandante della stazione, che riferí al capitano comandante della compagnia, che riferí al pubblico ministero di turno il quale autorizzò l'apertura della porta.

Cosa avrebbero trovato nell'appartamento, ormai, era abbastanza ovvio.

La donna, avrebbe detto il medico legale dopo l'autopsia, era morta da circa una settimana. La causa ultima del decesso era un attacco cardiaco, ma il corpo presentava segni di violenza: era stata percossa, probabilmente sbattuta contro il muro, e di sicuro l'infarto era una conseguenza del trauma dell'aggressione.

Insomma, un furto finito male. L'appartamento era a soqquadro, non c'erano impronte utili, nel palazzo nessuno si era accorto di niente. Trovarono solo un passante che il sabato sera aveva visto un uomo grande e grosso uscire dal portone e allontanarsi di corsa. Gli fecero sfogliare gli album con le foto dei pregiudicati, ma non fu in grado di riconoscere nessuno.

Per quasi un mese le indagini non ebbero sviluppi significativi. Poi nella cronologia degli atti compariva la relazione di servizio di un appuntato. Diceva che una «fonte confidenziale, solitamente degna di massima fede, riferiva che l'autore della rapina e dell'omicidio era tale Buonsante Nicola, incensurato, con qualche precedente di polizia per contravvenzioni commesse da minorenne e indicato, sempre dalla medesima fonte, come dedito a reati contro il patrimonio e spaccio di sostanze stupefacenti».

I miei colleghi andarono a prenderlo, lo portarono in caserma e – attraverso lo specchio della stanza per le ricognizioni – lo mostrarono all'unico testimone, quello che aveva visto il tipo grande e grosso.

Nel verbale c'era scritto: «era un uomo robusto e alto». Per procedere all'individuazione di persona lo piazzarono vicino a due carabinieri. La legge richiede, per le ricognizioni (il metodo si applica anche alle individuazioni), che il soggetto da riconoscere sia messo accanto ad almeno due persone che gli somiglino il piú possibile, anche nell'abbigliamento. Nel verbale, però, non c'era alcuna descrizione dei due carabinieri, non c'era modo di dire se anche loro fossero «robusti e alti» e se fossero vestiti nello stesso modo.

In ogni caso il testimone riconobbe Buonsante Nicola come la persona che un mese prima aveva visto di sfuggita, di sera, in una strada male illuminata. O almeno cosí era scritto nel verbale dell'individuazione di persona: «Riconosco nel giovane collocato a sinistra nella fila l'individuo che ho visto uscire dal portone...» eccetera. A specifica domanda dei verbalizzanti il teste dichiarava di essere «quasi certo» del riconoscimento.

A quel punto, sempre nella sequenza degli atti del fascicolo, c'era l'interrogatorio dinanzi al pubblico ministero, svoltosi in caserma alla presenza di un avvocato. Feci caso all'orario: cinque ore dopo l'individuazione personale; cominciò alle ventitre e si chiuse poco dopo la mezzanotte. Il verbale consisteva in appena un paio di pagine dattiloscritte, senza registrazione audio e tantomeno video. Da un punto di vista strettamente formale non era irregolare. C'era la contestazione sommaria dei reati di rapina impropria e di omicidio volontario. C'era l'avviso della possibilità di avvalersi della facoltà di non rispondere. C'era l'enunciazione degli elementi a carico, cioè, in sostanza, dell'esito dell'individuazione personale.

Le dichiarazioni del ragazzo erano, nella parte rilevante: «Ammetto l'addebito. Ero andato a fare un furto, pensavo che in casa non ci fosse nessuno e invece c'era una donna anziana. Lei si è messa a gridare e io sono stato preso dal panico. Le ho dato uno spintone violento per farmi strada e poter scappare. Lei è caduta ma non credevo di averle fatto troppo male e certo non avevo alcuna intenzione di ucciderla. Sono scappato e ho saputo della morte della donna solo ieri, quando sono stato invitato dai carabinieri a venire in caserma. Probabilmente quella sera ero sotto l'effetto di sostanze stupefacenti o di alcol. Mi capita spesso di abusare di queste sostanze. Adesso vi chiedo di sospendere l'interrogatorio perché sono troppo turbato per proseguire. In ogni caso vi ho detto l'essenziale, sono dispiaciuto e pentito per l'accaduto».

Il pubblico ministero, dopo l'interrogatorio, dispose il fermo di Buonsante. Perquisirono l'appartamento dove abitava con i genitori e nella sua stanza trovarono un po' di cocaina, un po' di hashish, ma in quantitativi tali da non potersi escludere la destinazione all'uso personale.

Per farla breve, senza perdere tempo in ulteriori accertamenti – comunque c'erano l'individuazione fatta dall'unico teste e la confessione – le indagini furono chiuse, il processo fu celebrato con il rito abbreviato e Buonsante fu condannato.

Era tutto troppo pulito, troppo nitido, troppo chiaro. Le cose troppo chiare, l'assenza di sbavature sono un problema nelle indagini. Le indagini ben fatte *devono* contenere sbavature: sono sintomo di genuinità, il segno che il risultato è stato raggiunto nel modo corretto. Cioè per tentativi, errori, altri tentativi: in un aggiustamento progressivo. Se devi ricostruire un fatto del passato cui non hai assistito (ma anche uno cui hai assistito, perché la memoria è fatta di materiale sdrucciolevole) non puoi andare a colpo sicuro. Devi elaborare ipotesi, verificarle, correggerle e verificarle di nuovo fino a quando non ottieni una ricostruzione approssimativa ma soddisfacente. È un processo che lascia tracce – tutto lascia tracce – nei fascicoli. Se queste tracce mancano, è una cosa sospetta.

D'altro canto il ragazzo aveva confessato. Potevo immaginare che la ricostruzione non fosse stata spontanea, come appariva dal succinto verbale del pubblico ministero. Potevo immaginare – anzi ne ero certo – che prima della redazione del verbale, prima ancora che il pubblico ministero fosse avvisato, ci fosse stata un'opera di convincimento, probabilmente anche energica. Tuttavia c'era una confessione, magari indotta, magari frutto di pressioni, ma pur sempre una confessione. Se il pentito Muto aveva raccontato una storia vera, allora la confessione era falsa. Bisognava trovare delle buone ragioni per sostenere una cosa del genere. Ottime ragioni.

Decisi di farmi una cauta chiacchierata con qualcuno dei colleghi che al tempo avevano seguito il caso.

Non potevo rivelare che l'obiettivo della mia indagine era scoprire se il ragazzo che avevano arrestato fosse innocente. Sarebbe stato come dire che intendevo accertare un loro grave errore: difficilmente si sarebbero mostrati collaborativi.

Avrei raccontato che, secondo il pentito, c'erano altre persone coinvolte nella rapina e nell'omicidio. Io cercavo riscontri a tale dichiarazione per identificare questi ipotetici complici.

Uno dei sottufficiali che avevano condotto le indagini era andato in pensione un paio di anni prima.

Pensai che fosse il soggetto ideale. I carabinieri e i poliziotti in pensione, se si occupavano di polizia giudiziaria o comunque non svolgevano compiti di scrivania, quando vanno in pensione si sentono in qualche modo mutilati. Gli manca il tesserino; gli manca il potere elementare e leggermente euforizzante di intervenire esibendolo se succede qualcosa, di ottenere, con quel semplice gesto, rispetto o almeno obbedienza. Gli manca il senso di sicurezza che il tesserino conferisce.

I carabinieri e i poliziotti in pensione amano parlare del loro lavoro e amano rievocare le loro indagini con toni epici; soprattutto di fronte a chi il lavoro lo fa ancora. Per avere la sensazione di continuare ad appartenere a quel mondo.

Andai a trovarlo nell'agenzia di pratiche automobilistiche della moglie, alla quale, pare, si dedicava anche prima di congedarsi.

Si chiamava Michele Capriati; era robusto, rubizzo, calvo, con grossi avambracci pieni di peli rossastri. Comunicava un senso di vigore e di arroganza, non dava affatto l'impressione di uno che si è messo a riposo.

Mi presentai e gli chiesi se potevamo andare a prendere un caffè, perché mi occorrevano alcune informazioni su un'indagine di cui si era occupato. Mi servivano per riscontrare le dichiarazioni di un pentito, dissi abbassando un po' la voce; lo feci perché gli altri in agenzia non sentissero, ma anche per esprimergli un senso di complicità.

– Certo, – rispose, annuendo con espressione consapevole. – Ma il caffè lo offro io, sei nella mia zona.

Cosí andammo a sederci in un bar. Capriati chiamò il cameriere con il gesto del cliente abituale che vuole essere trattato con un occhio di riguardo.

– Due caffè buoni. Mi raccomando, fammi fare bella figura con il collega, – disse, dandosi un tono di importanza.

Bevemmo i nostri caffè, sbrigammo i convenevoli e io feci bene attenzione a trattarlo appunto come fosse un collega in servizio.

– Allora Fenoglio, cosa ti serve? – disse poi lui.

– Riguarda l'omicidio di un'anziana a casa sua, otto anni fa, non so se...

– Ricordo benissimo. Lo prendemmo... come si chiamava? Va be', comunque lo prendemmo: un'indagine pulitissima. Ci fu l'individuazione personale, lui confessò... perché ti interessa?

Ecco il passaggio piú delicato. Non dovevo in nessun modo dargli l'impressione di avere riserve sul suo operato. Ero lí per perfezionare quello che lui aveva già fatto e in base a elementi di cui lui, all'epoca, non poteva disporre. Rassicurante, amichevole: da maresciallo a maresciallo.

– Fra le varie dichiarazioni di un pentito ce n'è una che riguarda quell'episodio. Una cosa piuttosto vaga, a essere sinceri; stiamo controllando solo perché il magistrato ci chiede di verificare tutto, parola per parola. Pare che il tizio che avete preso non fosse solo.

Lui annuí con espressione compresa e professionale.

– Non parlò di un complice. Glielo abbiamo chiesto di

sicuro. Ma non c'erano elementi per immaginare che ci fossero altri con lui, quindi non abbiamo insistito.

– Ovvio, è normale. Per capire se possiamo tirare fuori qualcosa mi servirebbe sapere come siete arrivati al ragazzo.

– Dopo i primi giorni eravamo bloccati. I condomini non si erano accorti di niente e avevamo raccolto un unico elemento utile: un passante aveva visto un uomo che usciva dal portone della vecchia correndo e...

– Ho letto il verbale. Ma ricordi come mai avesse fatto caso a questa circostanza?

– Non ne sono sicuro... Mi pare che disse di aver notato il tizio perché era grande e grosso eppure sembrava spaventato. Un'immagine strana, in pratica.

– Capisco. Ti ho interrotto, scusa. Parlavi delle indagini che erano bloccate, a un punto morto.

– Esatto. Decidemmo di mettere un po' sotto pressione i pregiudicati della zona. Cominciammo a dare fastidio: posti di blocco, multe e sequestri, controlli nei bar e nei circoli dove si ritrovavano. Gli rendemmo la vita impossibile e facemmo circolare la voce che non avremmo smesso fino a quando non fosse venuto fuori qualcosa sull'uccisione della vecchia. Sai come funziona, no?

Annuii.

– Qualche giorno dopo una fonte chiese di parlarmi...

– Nel fascicolo c'era la relazione di servizio di un appuntato.

– Sí, la relazione la scrisse lui per sicurezza, per tutelare la fonte. Ma l'informatore era mio. Mi riferí di un giovane che faceva dei lavoretti: appartamenti, macchine, anche qualche rapina per strada. La descrizione corrispondeva a quella che ci aveva dato il testimone: era grande, grosso, una specie di gigante. E il mio confidente sosteneva che nei giorni in cui c'erano stati la rapina e l'omicidio della vecchia il ragazzo aveva soldi. Piú del solito. Spendeva, offriva da bere. Una sera in un pub aveva comprato due bottiglie di champagne e ordinato di versarlo a chi ne voleva. Lui, il confidente, aveva chiesto per quale motivo si comportasse in quel modo e qualcuno gli aveva risposto che aveva fatto un bel colpo. Su sua richiesta specifica gli avevano rivelato che il «bel colpo» era quello della vecchietta.

– Ti disse *chi* glielo aveva rivelato?

– No.

– Non ti disse se abitualmente lavorava da solo?

– Mi pare accennò che se la faceva con due o tre balordi come lui. Però non gli risultava che questi tizi, che non conosceva, c'entrassero con la storia dell'anziana ammazzata in casa.

– E a quel punto?

– A quel punto lo andammo a prendere.

– Diede problemi?

– Per niente. Era grande e grosso, ma un bambinone. La madre era preoccupata, ci chiedeva quando l'avremmo lasciato andare. Lo portammo in caserma e per prima cosa organizzammo la ricognizione con il teste. Quello che l'aveva visto scappare dal palazzo in cui abitava la vittima.

– Chi erano i due carabinieri che hanno fatto i figuranti?

– Due nuovi, non ricordo i nomi.

Avrei voluto rivolgergli qualche altra domanda su *come* erano. Se erano davvero «il piú possibile somiglianti, anche nell'abbigliamento» alla persona da riconoscere, cioè a Buonsante. Evitai, Capriati si sarebbe insospettito.

– E dopo l'individuazione di persona?

– Dopo l'individuazione ci siamo lavorati il Buonsante.
– È stato difficile?
– Non troppo. All'inizio giurava che non c'entrava niente e noi – eravamo Pastoressa, io e un appuntato – gli chiedemmo se avesse un alibi per quel giorno. Lui rispose che non ricordava cosa avesse fatto quel giorno e insomma le solite cose...
– Non disse se era stato con qualcuno?
– No.
– E comunque non fu troppo difficile farlo parlare?
– Ma sí, in fondo voleva confessare. Gli abbiamo dato qualche schiaffo, poco di piú. Si è spaventato subito. Però non abbiamo esagerato, davvero, lo abbiamo trattato bene.
– E a parte gli schiaffi, come lo avete convinto?
– Gli abbiamo detto che dei testimoni lo avevano riconosciuto e che c'erano delle impronte digitali compatibili con le sue...
– E c'erano? Non ho visto niente nel fascicolo.
Capriati fece una faccia astuta.
– No, ma lui ci ha creduto. Sapeva di essere colpevole, e c'era il testimone... anche se noi gli abbiamo detto *diversi* testimoni. Insomma, si è convinto. Io gli ho garantito che non sarebbe mai piú uscito, se non confessava. L'ho maltrattato un poco, mentre Pastoressa ha fatto l'amico: io sono dalla tua parte, se mi racconti quello che è accaduto, che noi sappiamo già, posso aiutarti; posso parlare con il giudice e dire che sei un bravo ragazzo, che è stato uno sbaglio. Se non mi racconti nulla non posso fare niente per te. Le solite cose.
– E quando si è convinto a parlare avete chiamato il difensore, giusto?

Altro sorriso astuto.

– L'avvocato era un amico di Pastoressa. Quando dovevamo chiamare il pm per verbalizzare, gli abbiamo comunicato che gli serviva un avvocato. Lui ha risposto che non ce l'aveva, un avvocato, e forse dovevamo chiamare la sua famiglia. E noi gli abbiamo detto che, se voleva, gliene potevamo consigliare noi uno bravo.

Mi distrassi per qualche secondo. Dare indicazioni sul difensore da nominare è un illecito disciplinare grave per un ufficiale di polizia giudiziaria. Le ragioni sono ovvie, ma evidentemente Capriati e Pastoressa non si ponevano questo genere di problemi.

– Gli assicurammo che questo avvocato costava poco e che l'avrebbe consigliato per il meglio.

– E lui?

– Ormai era nel pallone. Pastoressa ha chiamato il suo amico e gli ha spiegato la situazione. Lui è venuto, si è appartato con il ragazzo e gli ha detto quello che avevamo concordato: che la cosa migliore era confessare subito al pubblico ministero. Avrebbe avuto le attenuanti, avrebbe potuto sostenere che non aveva intenzione di commettere un omicidio, che la situazione gli era sfuggita di mano, che si era trattato di un incidente.

– Quando è arrivato il pm, Buonsante ha nominato di fiducia questo avvocato?

– Chiaro. Poi abbiamo redatto il verbale velocemente, ché era notte e il magistrato se ne voleva andare a casa. Avevamo il testimone e la confessione. Indagine chiusa. Ha fatto l'abbreviato, non mi ricordo quanto si è preso.

– E la perquisizione a casa?

– Non serví a molto. Trovammo qualcosa: hashish, forse

anche un po' di cocaina, ma niente di serio. Mi pare che gli diedero l'uso personale.

– Nulla che lo ricollegasse al furto?

In realtà se ci fosse stato lo avrei trovato nel fascicolo e nelle motivazioni dei provvedimenti. Avevo chiesto quasi per riflesso condizionato.

– No, non mi sembra. Niente di specifico, comunque.

– Ti ricordi come vi ha raccontato i fatti? Cioè, a parte quello che c'è scritto nel verbale, che è molto breve.

Capriati mi guardò. Ora nei suoi occhi si leggeva un principio di sospetto che si traduceva in una domanda inespressa. In una sequenza di domande inespresse. Perché vuoi sapere questo? Che importanza ha ciò che ha detto effettivamente, a parte quello che c'è scritto nel verbale? Quello che conta è il verbale. Il verbale è l'inizio e la fine della verità ammissibile. Se andiamo a vedere cosa c'è dietro la verità delle carte rischiamo di finire tutti a gambe all'aria, di dubitare del nostro operato e della verità che abbiamo faticosamente costruito perché fosse consacrata da una sentenza.

Quando cogli quell'ombra di diffidenza nello sguardo di qualcuno cui stai chiedendo delle informazioni, la prima cosa da fare è rassicurarlo. Se no rischi di perderlo.

– Come ti dicevo, sto cercando di capire se ciò che afferma il pentito ha qualche possibilità di essere riscontrato: mi riferisco alla possibile esistenza di complici. Buonsante non ha proprio accennato ad altre persone che erano con lui?

– Te l'ho detto, glielo abbiamo chiesto quando gli abbiamo parlato io e Pastoressa. E non è venuto fuori nulla. Poi quando lo ha interrogato il pm la questione non è stata nemmeno sollevata. Per noi era un argomento chiuso.

– Il ragazzo, nell'interrogatorio davanti al giudice per le indagini preliminari, all'udienza per la convalida del fermo, si è avvalso della facoltà di non rispondere. Sai perché?

Capriati si strinse nelle spalle.

– Credo sia stato l'avvocato: gli ha consigliato di non aggiungere dettagli perché rischiava di peggiorare la situazione.

Geniale per uno che aveva fatto confessare un omicidio al proprio cliente senza battere ciglio, pensai.

A quel punto avrei voluto farmi descrivere come era andata davvero l'individuazione personale, ma lasciai perdere. Era un terreno scivoloso. Lo avrei chiesto direttamente al testimone, ammesso che a distanza di tanti anni si ricordasse qualcosa.

– Come è andata con il confidente?

– Ci avevo parlato, come con diversi altri. Gli avevo detto che doveva aiutarci. Eravamo sotto pressione ed era meglio per tutti se quel caso veniva risolto. Qualche giorno dopo mi chiamò, andai a trovarlo e mi fece il nome di Buonsante.

La domanda successiva era particolarmente difficile da porre. Una regola del lavoro investigativo è che non si chiede a uno sbirro il nome di un suo confidente. I confidenti parlano perché sanno che la loro identità rimarrà segreta. Sanno che il poliziotto o il carabiniere con cui collaborano ha il diritto, per legge, di mantenere il riserbo su di loro. Lo prevede l'articolo 203 del Codice di procedura penale: il giudice non può obbligare gli ufficiali di polizia giudiziaria a rivelare i nomi dei loro informatori. Ovviamente se l'informatore rimane ignoto le sue rivelazioni non possono essere usate come prove, ma solo come spunti per l'attività investigativa.

Anche io ho i miei confidenti e nessuno mi chiede chi siano. Se qualcuno, superiore o magistrato, dovesse farlo (mostrando di non avere idea di come funziona il mondo delle indagini), gli risponderei che, mi spiace, ma non posso. Mi avvalgo della facoltà prevista dall'articolo 203 del Codice di procedura penale eccetera.

Se un informatore scopre che hai fatto il suo nome, tronca ogni rapporto con te: in certi ambienti non è salutare avere la fama di spione amico degli sbirri.

Capriati, però, era in pensione. Non aveva piú il problema di proteggere i suoi informatori in vista di future rivelazioni. Forse potevo provarci.

– Scusa, non è che mi ci faresti parlare con questa tua fonte?

Capriati mi scrutò con un'espressione difficile da decifrare; fece per dire qualcosa, ma si trattenne. Pensieri contrastanti dovettero passargli per la testa. Stupore per la richiesta; impulso istintivo a rifiutare; consapevolezza pungente di non essere piú in servizio; desiderio di prendere parte ancora una volta, in qualche modo, a un'indagine; pensieri non chiari e in qualche modo molesti sulle possibili, vere ragioni – quali? – che mi spingevano a indagare su un vecchio caso chiuso da tempo.

– Magari si ricorda qualche dettaglio che allora non ha riferito perché gli è sembrato irrilevante e che oggi potrebbe aiutarci. Per individuare i possibili complici, come ti dicevo.

Finii la frase e presi un lungo respiro. Il mio era stato un acrobatico tentativo linguistico di portare Capriati dalla mia parte non attribuendogli alcuna colpa, senza mettere in pericolo la considerazione che aveva di sé.

– Mi ci potresti accompagnare tu. Andiamo a trovarlo, me lo presenti e io ci faccio due chiacchiere. O se preferisci gli parliamo insieme, non ho problemi, sei un collega. Probabilmente non ne verrà fuori nulla, ma insomma... sai come funziona. È un tentativo, solo un tentativo.

Quello che lo convinse fu il riferimento alla colleganza. Il suo viso mutò fisionomia, le spalle si raddrizzarono.

– È un ricettatore. Sono almeno quattro anni che non lo vedo. Però possiamo provare, se andiamo solo tu e io, senza nessun altro.

– Ovvio, solo tu e io.

12.

Il sostituto di Bruna comunicò che la seduta era terminata e che potevano andare. Il sottinteso era che la stanza doveva essere liberata. Giulio chiese a Fenoglio se avesse impegni.

– No, non ho impegni, – rispose il maresciallo e, mentre la pronunciava, quella frase suscitò in lui angoscia e allegria al tempo stesso.

– Se le va, potremmo bere qualcosa al bar qui di fronte?

– Perché no? Ha anche smesso di piovere.

Il bar era grande, appena ristrutturato, dall'arredamento un po' freddo, ma con i banconi pieni di cose dolci e salate.

Il settore del salato in particolare attirò l'attenzione di Fenoglio. Era stipato, quasi rigurgitava di sandwich che sembravano appena preparati e avevano un aspetto delizioso. Salmone, gamberetti, verdure, avocado, prosciutto crudo, mozzarella, roast beef, pane bianco, pane nero, pane giallo forse di zafferano, pane rosso forse di pomodoro, pane con le noci, pane con i pistacchi, focacce di vario tipo.

Si sedettero a un tavolino a ridosso della grande vetrata, cosí vicino al marciapiede che quasi sembrava di poter toccare i passanti. Il cameriere comparve dopo pochi secondi, neanche fosse stato in agguato. Era piuttosto basso, rotondo, con un viso socievole.

– Tu cosa prendi? – chiese Fenoglio.

– Magari un bicchiere di bianco freddo?

– Ottimo, ne porti due.

– Desiderate qualcosa da stuzzicare insieme al vino, maresciallo? – domandò il cameriere.

Fenoglio lo scrutò, sorpreso.

– Ci conosciamo?

– Sono passati tanti anni, non vi potete ricordare. Ero giovane, e facevo le cazzate.

Fenoglio socchiuse gli occhi, come per mettere meglio a fuoco la fisionomia dell'uomo.

– Fanelli… *Tarzàn*? – disse infine.

– Fanelli Gaetano. Allora non sono cambiato completamente.

– Be', ti sei un po' ingrassato.

– Lo so, lo so. Voi siete uguale, invece. Sempre in servizio?

– Ancora per un po'.

– Allora, lo volete qualcosa da mangiare?

– Solo per accompagnare il vino.

– Chi era? – chiese Giulio, curiosissimo, appena il tipo si fu allontanato.

– Non ci crederai. Faceva i furti negli appartamenti. Pesava venti chili di meno ed era capace di arrampicarsi su qualsiasi palazzo senza scale né corde né strumenti: senza niente. Si aggrappava a mani nude alle grondaie, ai balconi, ai cornicioni, a qualsiasi cosa. Io non l'ho mai visto, ma dei colleghi sí, e pare fosse un vero spettacolo da circo.

– Perciò lo chiamavano Tarzan?

– *Tarzàn*, alla barese, con l'accento sull'ultima.

Poco dopo Fanelli Gaetano, in arte *Tarzàn*, ricomparve con un aperitivo parecchio abbondante. Si era fatto prendere dall'entusiasmo e, oltre ai due calici di bianco, aveva portato un paio di piatti colmi di sandwich, focaccine, piccole quiche, olive e tarallini. Fenoglio contemplò divertito quel ben di Dio.

– Davvero succede che qualcuno confessi una cosa che non ha fatto? – domandò Giulio addentando un sandwich.

– Piú spesso di quanto si possa immaginare.

– Ma per via delle botte?

Fenoglio inspirò profondamente, come per un'improvvisa fame d'aria. Bevve un po' di vino, giocherellò con un'oliva e la mangiò.

– Le botte capitano. Oggi meno che in passato, ma capitano. Eppure non sono il problema principale, quando si parla di questa roba. Voglio dire: è chiaro che ci sono state e ci sono confessioni o deposizioni estorte con la violenza, però quelle si decifrano piú facilmente.

– Cioè?

– Se si accerta che c'è stata qualche forma di coercizione, è piú naturale diffidare di una confessione, soprattutto se in presenza di ulteriori elementi di dubbio. Il problema sono le false confessioni e le false dichiarazioni che non dipendono da violenza fisica.

Giulio inclinò leggermente la testa.

– Due miei amici che avevano un po' di erba per uso personale sono stati portati in questura, o in caserma... non ricordo se erano carabinieri o polizia... e li hanno presi a schiaffi.

– Come ho detto: capita.

Seguí un silenzio sospeso. Il ragazzo pareva indeciso se porre una domanda per cui non trovava le parole, o il coraggio.

Fenoglio lo tolse dall'imbarazzo.

– Vuoi sapere se ho l'abitudine di menare le mani? Non ce l'ho. Ovvio che se sei in strada, se stai arrestando qualcuno, magari un rapinatore che scappa o peggio che fa resistenza, non gli dici: signore, le comunico che lei è in arresto e la invito a rispettare l'autorità. Cerchi prima di tutto di renderlo innocuo, di prevenire eventuali reazioni pericolose. Questo può implicare un certo uso di energia. Diverso è quando certi fatti avvengono in caserma, con il soggetto in tuo potere, già messo in condizioni di non nuocere.

– Ma perché, allora?

– Le ragioni sono tante. Ci sono casi in cui le botte, e in generale la violenza, hanno appunto lo scopo di ottenere delle informazioni o delle confessioni. È sbagliato, costituisce un reato anzi, di regola una *serie* di reati, ma risponde a una logica; a una razionalità, ancorché distorta. Il problema piú serio è quando la violenza viene esercitata per chiarire i rapporti di forza: il delinquente deve capire chi comanda e secondo alcuni può capirlo solo cosí. Oppure per dare al soggetto un anticipo di punizione. Con l'eventuale aggravante che a taluni *piace* picchiare.

Fenoglio si prese qualche secondo di pausa, chiedendosi se fosse una buona idea essere cosí sincero con il ragazzo su certi argomenti. Decise di sí.

– No. La violenza e gli abusi, anche quelli cosiddetti a fin di bene, non mi sono mai piaciuti. Per quanto ho potuto, ho cercato di impedirli.

Il ragazzo assunse un'aria sollevata.

– Mi fa piacere saperlo perché…

– Aspetta, non ho finito. Non so il motivo, ma mi sembra di dover essere del tutto onesto con te: una volta ho partecipato a un pestaggio. Mi sono fatto giustizia da me, assieme ad altri.

Il ragazzo non disse nulla, in attesa.

– Ero in macchina con un brigadiere della mia sezione. Non ricordo per quale ragione fossimo usciti, ma a un certo punto rispondemmo a una chiamata dalla centrale. C'era una richiesta di aiuto proveniente da un indirizzo molto vicino a dove stavamo transitando in quel momento. Una signora aveva telefonato al 112 dicendo che nell'appartamento sopra il suo si stavano ammazzando. Di norma sono chiamate che raccoglie il nucleo radiomobile, ma noi eravamo proprio a due passi. Insomma, c'era stata una lite violentissima fra marito e moglie, davanti al figlio di dieci anni. Il bambino aveva cercato di calmarli, il padre gli aveva urlato di farsi i cazzi suoi, il bambino si era messo in mezzo fra i due, come per proteggere la mamma. Il padre, furibondo per questa doppia insubordinazione famigliare, aveva preso per la collottola il cane di casa, che era soprattutto il cane del bambino, era uscito sul balcone e lo aveva buttato di sotto. Abitavano al settimo piano.

Giulio rimase con una focaccina in mano, a mezz'aria, come in un fermo immagine.

– La mamma era sotto choc. Il bambino era *peggio* che sotto choc. Batteva i denti, singhiozzava, ed era chiaro, orribilmente chiaro, che non avrebbe mai piú dimenticato ciò che era successo. L'uomo, quando ci vide, disse che potevamo andarcene, che erano faccende domestiche e non ci riguardavano; mi è rimasto impresso che era un geometra, un dipendente pubblico non rammento di quale amministrazione, forse del Genio Civile. Replicai che doveva seguirci e quando provò a sollevare obiezioni lo ammanettai e lo trascinai giú, poi in auto, poi in caserma.

Giulio aveva poggiato la focaccina.

– Sai una cosa? Ho ripensato spesso a ciò che accadde dopo. Era sbagliato. Però la faccia, il dolore di quel ragazzino erano insopportabili e il reato che avremmo potuto contestare al padre era cosí lieve. Lui non avrebbe mai pagato per quell'azione orribile. Quindi non so se tornando indietro mi comporterei in maniera diversa.

Fenoglio rilasciò le spalle, bevve un sorso di vino, si schiarí la voce.

– Sei l'unico che sa questa storia, a parte chi c'era. Perché te l'ho raccontata?

– Per un buon motivo, anche se non so esattamente quale.

– Bella risposta.

– Non è mia, l'ho letta. A lungo ho sperato che mi capitasse l'occasione di usarla…

Fenoglio accennò una risata.

– È vero che sei spiritoso. E sai ascoltare. Saresti un bravo investigatore.

Giulio prese un respiro.

– Strano, non mi ero mai interessato di indagini, polizia, carabinieri, magistrati, processi o roba del genere prima di conoscerla.

– Magari hai scoperto una cosa che ti piace. Dopo la laurea potresti tentare il concorso in magistratura.

– Sa che ci stavo pensando? Una settimana fa se uno me lo avesse suggerito gli avrei risposto che era un pazzo, che piuttosto sarei andato a lavorare in un McDonald's.

Adesso invece mi scopro a chiedermi come sia fare il pubblico ministero.

– Può essere un bel lavoro.

– A mio padre verrebbe un infarto.

– Perché?

– Disprezza i magistrati. Molti sono comunisti e tutti sono frustrati, secondo lui.

Tarzàn ripassò per assicurarsi che il cibo e il vino fossero di loro gradimento.

Era tutto buono, grazie, lo tranquillizzò Fenoglio, e lui si allontanò di nuovo, con espressione soddisfatta.

– Le dispiace se torniamo all'argomento iniziale? – chiese Giulio. – Perché qualcuno dovrebbe confessare cose che non ha commesso, se non ha subito violenza?

– Una delle tante stranezze relative al mondo delle indagini è che spesso le cose vanno contro il senso comune. A confessare reati non commessi sono soprattutto le persone giovani. Sono piú malleabili, e hanno meno percezione del futuro e delle conseguenze delle loro azioni.

– In che senso?

– Per esempio: è piú facile che sia un ragazzo a guidare in modo pericoloso che non un adulto. Questo, naturalmente, non significa che tanti adulti non guidino in modo pericolosissimo, ma statisticamente è piú frequente che lo facciano i ragazzi. Sono meno consapevoli dei limiti della vita, dell'esistenza di eventi irreparabili.

– E dunque?

– Un interrogatorio in questura o in una caserma può essere un'esperienza estrema. Se non sei un pregiudicato, uno che ha l'abitudine a certe cose, non hai idea di cosa stia succedendo: non sai quando ti lasceranno andare; non sai *se* ti lasceranno andare. Hai la sensazione di essere in balia di un potere superiore, incontrollabile e insindacabile. In simili condizioni non è necessaria la violenza perché una persona poco strutturata dica ciò che i detentori di quel potere vogliono che dica. Gli vien fatto credere di non avere altra scelta, e cedere, ammettere, procura un sollievo immediato in una situazione di enorme stress. Confessando sai che questa pressione terribile si interromperà. È come quando hai un forte mal di testa: vuoi solo che ti passi.

– La aspetta qualcuno a casa per pranzo?

Fenoglio lo fissò per alcuni secondi. Poi fece un cenno con la mano indicando i panini, le focaccine e il resto.

– A parte che dopo una cosa come questa non potrei mangiare altro, – disse infine, – non mi aspetta nessuno.

– Neanche a me. Che ne dice se ordiniamo altri due calici e lei finisce di raccontarmi la storia di Buonsante?

13.

Un'ora dopo eravamo davanti a un'officina, zona San Girolamo, a quei tempi regno dei contrabbandieri che sbarcavano direttamente in città i loro carichi di sigarette.

C'erano molti scooter appoggiati ai muri. Un tizio in tuta da meccanico, con i capelli biondissimi e lunghi, un po' incongrui su un viso segnato di cinquantenne, stava maneggiando una marmitta; appesa alle sue labbra, una sigaretta mandava un filo di fumo che aveva qualcosa di maligno. Quando vide Capriati poggiò la marmitta, si pulí le mani con uno straccio e ci venne incontro.

– Maresciallo Capriati...

– Ciao Savinuccio. Lui è il collega Fenoglio...

– Lo conosco il maresciallo Fenoglio. Lo conoscono tutti –. Mi diede la mano e io gliela strinsi.

– Io sono in pensione da un paio di anni. Lo sapevi?

– Mi ero immaginato, non venivate piú.

– Però sto aiutando il collega per un lavoro. Lo devi trattare come faresti con me, – disse con tono vagamente pomposo e ridicolo.

Negli occhi di Savinuccio balenò un lampo che non riuscii a decifrare. Ironia, forse. Non annuí, si limitò a girarsi verso di me.

– Andiamo su in ufficio, – disse indicando un soppalco nella parte posteriore del garage.

Gli spiegai il motivo per cui eravamo andati a trovarlo.
– E che vi devo dire di questa storia? Non l'hanno già condannato, quello?
– Ho bisogno di chiarire alcune cose, e forse tu mi puoi dare una mano.
Lui si strinse nelle spalle. Era una richiesta bizzarra, dal suo punto di vista. In realtà era una richiesta bizzarra da qualsiasi punto di vista.
Gli ripetei la storia che avevo rifilato a Capriati, con qualche dettaglio in meno. Volevo sapere come gli era stata raccontata la notizia relativa a Buonsante e se c'erano altre persone coinvolte.
Savinuccio allargò le braccia.
– I carabinieri, il qui presente maresciallo e tutti gli altri, non ci stavano facendo piú lavorare. Perciò mettemmo in giro la voce che doveva uscire chi aveva fatto la cosa della vecchia. Anche perché era una porcheria: un conto è se vai a rubare onestamente e un altro se ammazzi una che magari poteva essere tua madre o tua nonna. Diverse persone riferirono che doveva essere stato quello che poi avete preso. Lui e due suoi amici erano conosciuti: ogni tanto vendevano cose che avevano rubato, roba di appartamenti, ma niente di grosso.
– A te hanno mai portato qualcosa?
Mi guardò qualche istante. Poi si limitò a scuotere il capo.
– Vai avanti, – dissi, mentre pensavo che mi sarei voluto sbarazzare di Capriati, per procedere con maggiore libertà, ma non era possibile.
– Che era stato lui era voce di popolo. Pare che nei giorni dopo il fatto teneva soldi, lo avevano visto che spendeva, che offriva da bere. Io non è che faccio lo sbirro… scusa-

te, il carabiniere. Il maresciallo Capriati mi aveva detto che lo dovevo chiamare subito, se sapevo qualcosa. E io ho chiamato, però non è che poi mi sono messo a indagare. Ma quello ha confessato, no? Quindi la notizia era giusta.

– Hai detto che il ragazzo faceva lavoretti con altri due.

– Sí.

– Perché non hai riferito anche i loro nomi?

– Mi avevano parlato solo di lui, non volevo mettere in mezzo persone che magari non c'entravano. Poi c'era anche il testimone, no? Che aveva visto scappare uno solo. L'ho fatto per correttezza.

Per correttezza. Stupendo. In quel caso, come in tanti altri, la notizia era completamente inconsistente. Era qualcuno che aveva parlato con qualcuno che aveva parlato con qualcun altro. Ciononostante Savinuccio aveva detto a Capriati che il colpevole era Buonsante e le indagini si erano sviluppate dando per scontata quella premessa, cioè per *confermare* quella premessa basata sulla poltiglia delle dicerie confidenziali.

Eppure Savinuccio, ricettatore e taroccatore di ciclomotori, non aveva fatto cenno agli altri due per *correttezza*; perché non voleva «mettere in mezzo persone che magari non c'entravano».

– Chi erano gli altri due?

– Non lo so, maresciallo. E non credo che l'ho saputo mai.

Mi congedai da Savinuccio e subito dopo da Capriati.

Tornai in caserma e mi ritrovai a sfogliare meccanicamente il fascicolo. In realtà c'era poco da meditare. Il passaggio successivo era ovvio. Dovevo parlare con il testimone oculare. Quello che aveva riconosciuto Buonsante dicendosi «quasi certo» che fosse lui.

Quella locuzione «quasi certo» era un altro elemento disturbante nel quadro d'insieme che si andava delineando. Nei verbali di individuazione si scrive sempre che il soggetto riconosce «senza ombra di dubbio». È una specie di clausola di stile, di esorcismo contro il pericolo dell'errore. Se due investigatori come Capriati e Pastoressa, poco inclini alle sottigliezze, erano stati costretti a scrivere «quasi certo», significava che il teste aveva manifestato piú di qualche esitazione.

Ancora una volta decisi di muovermi da solo. Non avevo voglia di condividere con nessuno, prima che fosse necessario, quanto poteva emergere da questo incontro.

Il testimone era un impiegato comunale, si chiamava Longo. Un ometto sulla sessantina, con pochi capelli, vedovo, dall'espressione buona e di una tristezza composta. Andai a trovarlo a casa nel pomeriggio e sin dall'inizio non mi parve stupito che gli chiedessi informazioni su quella vecchia storia.

– Non voglio farle perdere tempo, – dissi, – mi servirebbe solo qualche precisazione su quello che vide e che dichiarò a suo tempo.

– Posso domandarle perché?

Pensai di ripetere la stessa storiella che avevo usato con Capriati, ma subito mi resi conto che non era necessario. Anzi, forse con lui la verità, o almeno una parte della verità, avrebbe funzionato perfino meglio.

– Non posso entrare nei dettagli, ma è sorto qualche dubbio sull'esito di quel procedimento. Stiamo effettuando delle verifiche.

Longo annuí, come se fosse la risposta che si aspettava. Cosí proseguii.

– Ricorda quando fu chiamato in caserma la seconda volta, per l'individuazione personale?

– Sí, vennero a prendermi qui a casa.

– In quell'occasione lei indicò una persona. Nel verbale c'è scritto che era «quasi certo» del riconoscimento. Può spiegarmi meglio?

– Non ricordo se ho letto il verbale prima di firmarlo. Ma non ero *quasi certo*. Ho indicato uno dei tre che mi avevano mostrato, quello piú alto e grosso, e ho detto che fra i tre... be', mi sembrava il tipo che era uscito di corsa dal palazzo.

– Quella sera era riuscito a vederlo bene in faccia?

– Bene, no. Io ero da un lato del portone, quello è sbucato ed è subito sparito dalla parte opposta.

– Quindi lo ha visto... come?

– Di profilo, per un attimo.

– A che distanza?

– Una decina di metri, credo. Ora dopo tanti anni...

– Sí, è difficile ricordare con precisione. Dunque, proviamo a ricapitolare: era per strada, a una decina di metri dal portone...

– Forse qualcosa di piú.

– Forse qualcosa di piú. E ha visto un tizio alto e di corporatura robusta scappare in direzione opposta a quella da cui giungeva lei. È corretto?

– È corretto.

– Com'era l'illuminazione?

Longo non rispose subito. Si concentrò, e io pensai che quell'uomo mi piaceva. Mi piaceva la dignità non esibita, la serietà sostanziale che trapelava dal suo modo di rispondere e di comportarsi.

– Era sera, d'inverno. Di sicuro l'illuminazione stradale era accesa, e poco piú in là c'era la vetrina della salumeria. Però se dovessi... cioè ho l'immagine di quest'uomo che esce e va via, ma non so essere piú preciso.

– Era di sicuro un uomo, quello che vide.

– Su questo non c'è dubbio. Non era una donna.

– No, mi scusi. Ho formulato male la domanda. Quando lo ha visto ha pensato che era un uomo o che era un ragazzo? O magari non ha pensato niente di specifico al proposito.

Ancora una volta si fermò a riflettere. Non voleva rispondere a caso.

– Non ne sono certo, ma forse pensai che era un uomo.

– Gliel'ho chiesto perché quando poi avete proceduto...

– Lo so, lo so. Quello era un ragazzo. Ho capito cosa vuole dire.

– Si ricorda come si è svolta l'individuazione? Ha detto qualcosa in particolare, *le* hanno detto qualcosa di particolare... A proposito, com'erano gli altri due soggetti che le hanno messo davanti?

– Piú grandi di età e piú bassi. Uno forse era robusto. In ogni caso li ho esclusi subito. Mentre quello grosso... ah, chiesi di poterli osservare di profilo, come avevo visto il tizio che usciva dal portone.

– E quando li hanno fatti mettere di profilo?

– Ripetei che poteva essere lui. Il maresciallo, che stava con me dietro il vetro, era molto insistente. Diceva che non dovevo avere paura, che quasi certamente non ci sarebbe stato bisogno di sentirmi di nuovo, che non sarei nemmeno dovuto andare davanti al giudice.

– Lei aveva paura?

– No. Cioè non è che fossi tranquillissimo. Forse un po' di paura ce l'avevo, sí, perché comunque era una situazione...

– Era una situazione inusuale. Una situazione stressante.

– Appunto. Ma non è che non ero certo perché avevo paura, non so se mi spiego.

– Cioè: aveva dei dubbi.

– Sí. Poteva essere lui, ma non da giurarlo. La cosa che mi convinceva di piú era la corporatura. Infatti il maresciallo mi disse: fisicamente lo riconosci? E io risposi che sí, fisicamente sembrava proprio il tizio del portone. Il maresciallo allora disse che quello era l'importante, che non ce n'erano mica tanti in giro cosí grossi e... ora ricordo: mi disse che comunque non dovevo preoccuparmi perché c'erano altre prove, e insomma il mio riconoscimento era quasi una formalità. Questo mi persuase. Fecero il verbale, io lo firmai e me ne andai.

Rimanemmo in silenzio per un po'. Poi Longo chiese: – Maresciallo, può essere che non era lui? Ho fatto condannare un innocente?

Era una persona perbene. Nella sua voce c'era una nota di angoscia autentica.

A quel punto avrei voluto sentire l'imputato, anzi il condannato Buonsante. Tecnicamente non era una cosa ovvia, dal punto di vista procedurale.

Ne parlai con il pubblico ministero perché mi autorizzasse, visto che Buonsante era detenuto. Mi disse che non era pacifico il modo in cui lo si sarebbe dovuto sentire, che forse era necessario prevedere l'audizione in presenza del difensore, e che in ogni caso si trattava di un detenuto e forse l'atto non era delegabile. Avrebbe studiato la questione e mi avrebbe fatto sapere.

Conoscevo quel magistrato. Era abbastanza bravo, ma la velocità d'azione non era il suo forte.

Ormai, però, mi ero spinto troppo avanti; i dubbi iniziali si erano moltiplicati e l'idea che quel ragazzo fosse in galera da tanti anni per un delitto che poteva non aver commesso cominciava ad assillarmi. Non avevo voglia di aspettare.

Decisi di far visita ai suoi famigliari, anche se non avevo un'idea precisa di cosa avrei potuto chiedergli e di cosa loro avrebbero potuto dirmi.

La mamma era una donna robusta, solida, piuttosto bassa, sui cinquantacinque anni. Il signor Buonsante un uomo alto e magro, con la faccia lunga, pochi capelli e l'espressione rassegnata.

Andai a trovarli con un appuntato, Montemurro. Un ragazzo poco militare, spiritoso, che sapeva comportarsi nelle varie situazioni, quando parlare e quando stare zitto. All'epoca studiava informatica. Ora non è piú nell'Arma. Si è laureato e si è congedato.

Ci ricevettero in un piccolo salotto con un divano e due poltrone, pieno di oggettini e di fotografie di famiglia. Si avvertiva un lieve odore di chiuso e di cera per mobili. Ci sedemmo e loro ci fissarono, in attesa.

– Grazie per averci ricevuto, – esordii rivolgendomi alla signora. – Come le ho accennato al telefono stiamo procedendo ad alcune verifiche sull'indagine che ha portato alla condanna di vostro figlio Nicola.

Feci una pausa, ma loro non dissero niente. Rimasero fermi, in silenzio, entrambi con le mani poggiate sulle ginocchia. Ricordo che pensai testualmente che ascoltavano all'unisono. Qualunque cosa potesse significare una frase simile.

Volevo spiegare quanto stava accadendo, il motivo della nostra visita, senza ingenerare pericolose aspettative. Mi resi conto che probabilmente non era quello il rischio. Man mano che parlavo era sempre piú chiaro che non si fidavano di me, pensavano che ci fosse qualche oscura, non rivelata ragione per cui ero lí, dalla quale non sarebbe venuto nulla di buono.

– Una delle persone che ho sentito in questi giorni, – ripresi, – mi ha riferito di alcuni amici di vostro figlio ai tempi dell'accaduto. Avrei bisogno di aiuto per identificarli.

I due si guardarono. Parlò la donna.

– Perché vuole identificarli?

– Non è mia intenzione illudere nessuno, però abbiamo qualche motivo di pensare che, forse, nell'indagine che ha portato alla condanna di Nicola ci sia stato qualche... qualche errore. Non mi è consentito entrare nei dettagli, ma parlare con gli amici di vostro figlio potrebbe essere importante. Anche e soprattutto nel suo interesse.

I due si guardarono di nuovo e di nuovo parlò la moglie.

– Significa che nostro figlio potrebbe avere la revisione del processo?

Disse proprio cosí, con la locuzione tecnica: revisione del processo. Pensai che di certo aveva parlato con qualcuno, probabilmente un avvocato. Pensai che doveva essere una loro ossessione la possibilità che il figlio uscisse dal carcere e che il nastro della sua vita fosse riavvolto fino al momento in cui era stato spezzato.

– Se alcuni degli accertamenti in corso dessero esito positivo, potrebbe sorgere l'eventualità di una revisione. Ma è davvero troppo presto per affermarlo.

Negli occhi della donna passò un bagliore che aveva qualcosa di elementare e terribile. L'uomo sospirò e, chissà perché, pensai che si sarebbe messo a piangere.

Non accadde. Continuò a tacere. La donna annuí con decisione, senza chiedere ulteriori spiegazioni.

– Al tempo in cui lo arrestarono Nicola aveva due amici. Due poco di buono. Passavano tutti i giorni da casa a prenderlo. Però non sono quasi mai saliti, lo sapevano che io non li potevo vedere.

– Perché dice che erano dei poco di buono?

Fece una smorfia.

– Drogati. Ladri. La prima sfortuna di mio figlio è stata incontrarli. Dopo che lo hanno arrestato sono spariti. Era l'amico loro e mai hanno chiesto: che è successo? Serve qualcosa? Nemmeno: ci dispiace, o cose del genere. Spariti. Questa era la loro amicizia.

Fui sul punto di chiederle se sapeva qualcosa di ciò che facevano il figlio e i suoi amici drogati e ladri. Mi trattenni. Qualunque cosa mi avesse risposto non sarebbe servita a nulla.

– Ricorda i loro nomi?

Certo che se li ricordava, e sapeva anche come ritrovarli. Li aveva tenuti d'occhio, in quegli anni. Aveva sempre avuto l'idea che c'entrassero in qualche modo con ciò che era successo al figlio. Non ne aveva mai parlato con nessuno, nemmeno con il marito – che continuava ad ascoltare senza pronunciare una parola – perché non era mai stata capace di dare un contenuto a quella sensazione, ma era convinta che fosse fondata. Adesso che le chiedevo informazioni sui due le pareva che quei sospetti, coltivati a lungo, trovassero uno sbocco, una conferma e una prospettiva. Non usò queste parole – si esprimeva bene, ma era una donna semplice – però il senso era inequivocabilmente questo.

Si chiamavano Colella e Romita. Erano un po' piú grandi di Nicola, dunque ora avevano entrambi superato i trenta. Il primo era un marinaio; il secondo lavorava nella tabaccheria del padre. Fu cosí precisa e determinata che per qualche istante temetti volesse venire con noi a interrogarli. Invece ci chiese solo se, per piacere, era possibile tenerla informata di eventuali progressi.

– Certo. Ho ancora una domanda, signora.

– Sí.

– Avete mai parlato con vostro figlio della storia, insomma di quello per cui è stato accusato e poi condannato?

– Sí.

– Cosa vi ha detto?

– Che non è stato lui.

– Ha dato spiegazioni sul perché ha confessato?

– Gliel'ho chiesto tante volte.

– E lui?

– All'inizio non rispondeva. Diceva solo: non sono stato io, non sono stato io e si metteva a piangere.

– Poi?

– Lo avevano preso a schiaffi, a pugni. Gli avevano urlato che gli avrebbero fatto avere l'ergastolo, se non confessava, che avrebbero parlato con altri carcerati per... per fargli fare del male. Gridavano e lui non capiva piú niente e voleva solo che smettessero e a un certo punto ha detto va bene, sono stato io.

Non era la prima volta e non sarebbe stata l'ultima che accadeva una cosa simile. Però fu molto dura sentirlo raccontare cosí, da quella madre, con un tono in apparenza neutro ma che sotto la superficie vibrava di disperazione.

Quando ci accompagnarono alla porta il padre parlò, finalmente.

– Ho fiducia in voi, – disse. Non aggiunse altro.

Sulla via del ritorno Montemurro rimase in silenzio. E io pure.

Colella, quello che faceva il marinaio, era imbarcato e sarebbe rimasto fuori ancora per due settimane.

Cosí passammo a Romita. Lo cercammo alla tabaccheria del padre, nel pieno del quartiere Libertà, dalle parti dell'istituto Redentore. Una zona in cui anche i bambini, vedendoci, capivano che eravamo sbirri e passavano la voce. Una zona nella quale ci muovevamo come truppe paracadutate oltre le linee nemiche.

Dietro il banco c'erano due uomini: uno sulla settantina, mal rasato, con l'espressione cattiva di chi invecchia odiando il mondo; l'altro piú giovane: pochi capelli, pallido, sovrappeso. Non aveva un aspetto sano e, se davvero era sui trent'anni, non li portava affatto bene. Vicini l'uno all'altro sembravano i personaggi di un quadro di Grosz.

Lasciai parlare Montemurro.

– Buongiorno, cerchiamo il signor Damiano Romita.

– Chi siete? – rispose il piú giovane.

– Carabinieri. È lei il signor Damiano?

– Sí. Cosa è successo?

– Abbiamo bisogno di alcuni chiarimenti.

– Sto lavorando.

– Anche noi. Andiamo in caserma, non ci vorrà molto.

Parve sul punto di obiettare. Poi il padre gli fece un cenno col capo come per dire: vai, discutere con gli sbirri crea solo problemi.

In macchina ci chiese di nuovo quale fosse il motivo per cui eravamo andati a prenderlo. Nessuno dei due gli rispose.

Ci mettemmo nella stanzetta in cui di solito si fanno le ricognizioni, quella con lo specchio dietro il quale si posizionano i testimoni per vedere senza essere visti. La stessa in cui otto anni prima avevano fatto entrare Buonsante.

– Perché mi avete portato in questa stanza? – disse, mostrando di avere una certa esperienza di uffici di polizia. Quindi indicò lo specchio. – Mi dovete far vedere a qualcuno?

– Non si preoccupi. Lei conosceva Nicola Buonsante?

Ebbe un sussulto. Di sicuro si era fatto un'idea dei motivi per cui lo avevamo portato in caserma e in quel momento si rendeva conto che si trattava di tutt'altro.

– Tanti anni fa. Poi lo hanno arrestato...

– Vi frequentavate?

– Ogni tanto.

– Ogni tanto? A noi risulta che stavate sempre insieme.

– Ci vedevamo, eravamo ragazzi. Ogni tanto. Non è che stavamo sempre insieme. Ci conoscevamo da qualche mese.

– Lei sa per quale motivo è in carcere, per quale motivo è stato condannato?

– Certo che lo so.

– Visto che vi frequentavate, ricorda se per caso avesse raccontato qualcosa sull'episodio?

– Non so niente di questa storia, a parte quello che ho letto sui giornali al tempo.

Per una mezz'ora andammo avanti cosí. Noi insistevamo ma lui ripeteva di non avere nulla da raccontare. Ovviamente non era vero, ma non c'era modo di stringerlo in un angolo e alla fine ci rendemmo conto che dal colloquio non sarebbe scaturito nulla di utile.

Dissi a Montemurro di preparare un breve verbale con quello che (non) era venuto fuori dall'interrogatorio. Montemurro accese il computer, aprí il modulo delle sommarie informazioni e chiese le generalità a Romita.

Era nato a Bari il 29 febbraio 1964 ed era residente a Bari in via Mayer.

Montemurro stava cominciando a battere sulla tastiera quando gli dissi di attendere un minuto.

– Ha detto che è nato il 29 febbraio, giusto?

– Giusto.

– Quindi festeggia il compleanno una volta ogni quattro anni?

– Che significa?

– Lo festeggi il compleanno quando non è un anno bisestile? E se lo festeggi, è il 28 febbraio o il 1 marzo? – Ricordo con precisione che in quel momento passai dal lei al tu. Non so bene per quale motivo.

Lui mi guardò come si guarda un tipo strano. E in effetti la domanda poteva apparire bizzarra.

– Il 28 febbraio, la sera.

– Hai mai festeggiato il compleanno insieme a Buonsante?

Ci volle un po' per spiegargli *cosa* mi interessava senza dirgli il *motivo* per cui mi interessava. E il motivo era questo: la morte della donna risaliva al 28 febbraio 1987, sabato. In quel periodo Romita, Colella e Buonsante si frequentavano abitualmente, secondo quello che ci aveva riferito la mamma.

Se Romita aveva festeggiato il suo compleanno e al festeggiamento aveva preso parte il Buonsante, quella poteva essere la prova che chiudeva l'indagine.

In teoria è difficile ricordare una ricorrenza di otto anni prima.

In pratica, Romita aveva detto che lui e Buonsante si conoscevano e si frequentavano da qualche mese quando l'amico era stato arrestato.

Se dunque Romita ricordava di aver festeggiato un compleanno con Buonsante, certamente era il compleanno del 1987.

Se lo ricordava. Erano andati a mangiare una pizza a Torre a Mare. Erano sette o otto; certo c'era Colella; certo c'era Buonsante; c'erano due ragazze e altri.

Avevano passato l'intero pomeriggio e tutta la sera insieme, avevano anche bevuto parecchio, e forse Buonsante piú degli altri, perché aveva questa abitudine: gli piaceva la birra, gli piacevano i liquori.

Verbalizzammo, firmò e ci chiese se poteva andare.

– Ho bisogno di chiederti ancora una cosa, – dissi. – Questa non la metto a verbale, ma voglio la verità.

Mi guardò con espressione interrogativa.

– Ti ripeto che non verbalizzo, ma devi dirmi se è vero che in quel periodo tu, Buonsante e Colella facevate qualche lavoretto in appartamenti.

Stava già per negare e lo interruppi con un gesto della mano.

– Ascoltami. Non me ne importa niente se hai fatto il

ladro o se lo fai ancora. Non adesso, almeno. Mi serve solo per capire una cosa che non ti riguarda. Non scrivo niente, ma se mi dici una cazzata giuro che ti faccio pentire.

Mi scrutò, poi si girò verso Montemurro che gli stava molto vicino e che gli restituí un'occhiata gelida e piena di minaccia. Allora guardò di nuovo me.

– Facevamo qualche cosa, ma dopo che Nicola fu arrestato piú niente.

– Furti, rapine, cosa?

– Qualche furto. Non abbiamo mai fatto male a nessuno.

– E il pomeriggio del compleanno? Prima di andare a Torre a Mare?

La fisionomia si contrasse e cedette, come un congegno meccanico di cattiva qualità. Annuí.

– Un buon colpo?

Annuí di nuovo.

Non insistetti per sapere altro. Quella notizia chiudeva il cerchio e rendeva comprensibili anche le informazioni dei confidenti. Buonsante, nei giorni successivi a quel sabato, aveva speso nei pub. Lo aveva fatto perché aveva soldi e aveva soldi perché aveva messo a segno un buon colpo con i suoi amici. Qualcuno se n'era accorto, lo aveva riferito a qualcun altro che lo aveva riferito a Savinuccio che lo aveva riferito a Capriati. Quando la notizia era arrivata a Capriati, deformata dai vari passaggi e dalle congetture di chi raccontava e dalle aspettative di chi ascoltava, era: Buonsante spendeva nei pub i soldi derivanti dalla rapina alla vecchietta.

L'ultima cosa che domandai a Romita non serviva per l'indagine – quella, ormai, era piú o meno chiusa – ma non mi trattenni.

– Toglimi una curiosità: perché non ti sei presentato a dire che quella sera tu e Nicola eravate insieme e non poteva essere stato lui a uccidere la donna?

– Non lo sapevo quando era stata uccisa, non si sapeva, – rispose debolmente.

Su questo aveva ragione. Il corpo della donna era stato ritrovato diversi giorni dopo la morte. La data precisa era stata ricostruita incrociando le risultanze dell'autopsia con la deposizione del teste, della salumaia e delle persone che avevano visto la vittima in chiesa.

– Ma voi stavate sempre insieme, giusto?

– Sí.

– Quindi era improbabile che fosse andato da solo a fare un furto, no?

Non mi aspettavo che rispondesse.

Qualche settimana dopo Buonsante fu rimesso in libertà e in seguito fu assolto per non aver commesso il fatto nel processo di revisione. Gli fu pure liquidato un risarcimento abbastanza consistente per la riparazione dell'errore giudiziario.

Un giorno, ero in caserma, mi dissero che c'era un tale Buonsante che voleva parlarmi. Pensai che fosse lui, Nicola, ma mi trovai davanti il padre. Non era diventato piú loquace rispetto all'unica volta che lo avevo incontrato.

Mi strinse la mano, disse «Grazie» e se ne andò.

14.

Il bar si era ormai spopolato. Gli avventori della pausa pranzo erano andati via e l'unico tavolino occupato rimaneva quello di Fenoglio e del ragazzo.

Il cameriere portò loro i caffè che avevano ordinato, aggiungendo di sua iniziativa un piatto con dei pasticcini.

– È vostro figlio, maresciallo? – domandò dopo aver depositato tazze, zucchero e dolci.

– No, di amici, – rispose rapido Fenoglio, chiedendosi il perché di quella inutile bugia.

– Questa storia mi fa pensare alle diverse prospettive da cui si può considerare la fortuna, – disse Giulio, quando *Tarzàn* si fu allontanato. – Buonsante fu sfortunatissimo perché assomigliava, o meglio aveva la stessa corporatura, del vero ladro. Però fu fortunato per via del compleanno di Romita, e perché fu lei a occuparsi della questione.

– È un buon modo di metterla.

– Ma cosa accadde al vero autore dell'omicidio... come si chiamava?

– Manzari, detto *U' Gigant'*. Non gli accadde nulla, non per quell'episodio, almeno. Continuammo le indagini alla ricerca di riscontri che confermassero le accuse del collaboratore di giustizia, ma non trovammo niente di risolutivo; il procedimento a suo carico fu archiviato. Anni dopo fu arrestato di nuovo, per spaccio. Non so che fine abbia fatto.

– Voglio capire meglio. Il confidente parla di Buonsante e della storia del pub...

– Ne parla perché probabilmente quella era una cosa vera. Davvero Buonsante era stato visto spendere in modo inconsueto.

– Ma Savinuccio aveva riferito a Capriati che qualcun altro gli aveva detto che Buonsante era l'autore della rapina e dell'omicidio. Perché?

– Questo è l'aspetto piú interessante della questione. Riguarda il modo in cui nascono le dicerie.

– Cioè?

– Io non so come si sia formata quella specifica informazione falsa, che Buonsante fosse il colpevole della rapina e dell'omicidio. Ma non è difficile immaginarlo. Un tale – forse piú d'uno – vede Buonsante in un pub e nota che ha parecchi soldi. Considerato che il giovane è conosciuto per essere dedito a lavoretti illeciti, il nostro pensa che quel denaro venga appunto da uno di quei lavoretti andato bene. Magari questo ipotetico soggetto che ha visto Buonsante nel pub avrebbe dimenticato la scena, ma nell'ambiente si sparge la voce che bisogna aiutare i carabinieri a scoprire chi ha ammazzato la donna. Bisogna farlo per forza e bisogna anche farlo in fretta, perché altrimenti non si lavora piú. In un simile contesto chi ha visto Buonsante che spendeva soldi proprio in quei giorni pensa: «Vuoi vedere che spendeva i soldi rubati alla vecchia?» Ne parla a qualcuno, e magari si infervora e dice, con maggior decisione di quanta ne avesse all'inizio, che potrebbe essere stato lui, o addirittura che è probabile sia stato lui. Chi riceve l'informazione ne parla con qualcun altro e questo qualcun altro con qualcun altro ancora. Lo conosci il gioco del telefono senza fili?

– Sí.

– Ecco, funziona allo stesso modo. L'ultimo della catena affermerà senza alcun dubbio che è stato Buonsante. E sai perché lo farà con ancora piú sicurezza se verrà sentito in via confidenziale?

– Perché?

– Perché non è responsabile di come è nata la notizia, non deve rendere conto di chi gliel'ha data, non sarà costretto a testimoniare; e perché avere qualcosa di decisivo da raccontare ti fa sentire importante, soprattutto se stai parlando con l'autorità. Le fonti confidenziali sono inutilizzabili come prove, cioè servono solo a dare spunti per le indagini, proprio per questo motivo: sono anonime, è impossibile qualsiasi valutazione sulla loro provenienza e sulla loro attendibilità.

– Ma i confidenti sono indispensabili per le indagini, mi sembra di avere capito.

– Sí, però quello che dicono è materiale altamente pericoloso e va trattato con estrema cura. Indipendentemente dalla sua inutilizzabilità processuale, può produrre, come nel caso di Capriati, una falsa certezza che orienta e condiziona l'intera indagine. In realtà, volendo fare un discorso piú ampio, tutte le dichiarazioni testimoniali, anche quelle di persone ben identificate e che riferiscono fatti percepiti in prima persona, sono materiale pericoloso.

– Addirittura pericoloso?

– Una volta un neurologo mi ha detto che esiste un solo

modo per sapere con certezza perché una persona ha perso i sensi: che il medico osservi l'evento con i propri occhi. Altrimenti la diagnosi si basa inevitabilmente sull'interpretazione della testimonianza fornita dal paziente e dalle altre persone presenti all'episodio. E questo non va bene, ha aggiunto, perché le persone non valgono molto come testimoni. Io sono d'accordo.

– Le persone non valgono molto come testimoni?

– Sí. Sembra una battuta – chi altro potrebbe essere testimone se non una persona? – ma è una precisa verità. Le testimonianze vanno trattate con cautela perché tutte sono, almeno in parte, false testimonianze; anche se il soggetto è sincero, in buona fede.

– Mi gira la testa. L'idea sarebbe che uno *crede* di dire la verità e invece...

– La nostra percezione è come uno specchio deformante. Hai presente quelli che ci sono nei luna park? Diresti mai che le immagini in quegli specchi rappresentano in modo attendibile ciò che riflettono? La mente umana fa esattamente lo stesso con gli stimoli che arrivano dal mondo esterno. Li distorce. Di regola non troppo – qualche volta anche sí – ma abbastanza perché la nostra rappresentazione non corrisponda alla realtà. Nel migliore dei casi, per il migliore e il piú sincero dei testimoni, le assomiglia.

– E allora, se non si può credere ai testimoni, come si fanno i processi? Come si puniscono gli autori dei reati?

– Non ho detto che non si può credere ai testimoni. Dico che bisogna valutare le deposizioni con estrema attenzione e, sempre, con una certa dose di scetticismo. Solo cosí è possibile scartare le testimonianze inattendibili e conservare quelle attendibili. Tenendo conto, ripeto, che l'attendibilità o l'inattendibilità hanno solo di rado a che fare con la buona o la mala fede.

– Va bene, ma come si capisce se una testimonianza è credibile o no?

– Io formulerei la domanda in modo un po' diverso: come si raccoglie una testimonianza in modo da ridurre il rischio delle falsità involontarie.

– D'accordo. Come si raccoglie una testimonianza in modo da ridurre il rischio delle falsità involontarie? – Nel tono della voce c'era una sfumatura di esasperazione. Fenoglio la colse e la ignorò. Mangiò con calma un delizioso pasticcino al cioccolato e pan di spagna imbevuto di liquore, finí di bere il caffè e riprese a parlare.

– Con il testimone oculare di un crimine la prima cosa da fare è ridurre lo stress della situazione in cui si trova: banalmente, bisogna metterlo il piú possibile a suo agio. Quindi occorre chiedergli di raccontare quello che ricorda. Durante il racconto – questo è importantissimo – *non* bisogna interromperlo. Deve ricostruire gli elementi essenziali dell'accaduto con parole sue e non per effetto, anche involontario, della suggestione che gli viene da chi lo interroga. Tanti investigatori espertissimi e anche bravi non sono capaci di rispettare questa regola. Ascoltare davvero è difficilissimo, e l'impulso a chiedere precisazioni prima che sia arrivato il momento è quasi irresistibile, ma se interrompi di continuo il racconto del teste gli stai mandando un messaggio tanto implicito quanto forte: «Non è importante che tu recuperi piú informazioni possibili dalla memoria; quello che importa è che tu risponda alle mie domande, solo esse indicano i temi rilevanti». In tal modo si riduce moltissimo la capacità del teste di recuperare elementi utili di informazione; molto spesso, anzi, questi elementi vanno perduti per sempre, perché nelle successive deposizioni il teste tenderà a ripetere quello che ha detto la prima volta e non a ricordare di nuovo i fatti.

– Ma se è necessario porre domande specifiche, ottenere chiarimenti?

– Lo si fa quando il soggetto ha esaurito il suo ricordo o la sua capacità di narrazione in forma libera.

– Come fa una domanda a influenzare il ricordo?

– Ti racconto una storia. Dei ricercatori mostrarono a un gruppo di volontari la videoregistrazione di un incidente automobilistico. Dopo, i soggetti furono divisi in due gruppi: a quelli del primo gruppo fu chiesto a che velocità andassero le auto quando si erano *scontrate*, mentre a quelli del secondo gruppo fu chiesto a che velocità andassero quando si erano *schiantate*...

– Quelli del secondo gruppo indicarono velocità maggiori?

– Di gran lunga maggiori. Eppure solo qualche minuto prima avevano visto tutti lo stesso filmato.

La conversazione si interruppe, senza nessuna ragione apparente.

– Va bene, è ora di andare, – disse Fenoglio facendo cenno al cameriere di portargli il conto. *Tarzàn* arrivò rapido al tavolo.

– Se permettete maresciallo, offre la casa.

– Grazie, però non permetto. Non ti offendere, è un mio problema: se vado in un bar o in un ristorante, devo pagare. È un vecchio vizio, non riesco a togliermelo.

L'uomo stava per insistere, ma Fenoglio lo bloccò alzando il dito indice. Non era un gesto minaccioso, significava solo – e l'altro lo capí subito – che sul punto non erano previste repliche.

Fuori dal bar i marciapiedi e le strade si stavano asciugando, il vento sgomberava le nuvole; c'era il sole. Giulio sorrise.

– Se il tempo si aggiusta ancora un po', domani facciamo ginnastica in giardino.

– Domani non vengo, devo passare in caserma per la pratica della mia convalescenza.

Un'ombra di delusione parve attraversare per qualche istante lo sguardo del ragazzo.

– Ci vediamo dopodomani, – disse Fenoglio.

Giulio non rispose. Lasciò passare qualche secondo, poi tese la mano al maresciallo in un modo quasi formale. Poteva sembrare un saluto, era qualcosa di assai piú complicato.

15.

Fenoglio mancò due giorni, perché la burocrazia ha sempre pretese superiori alle previsioni.

– Buongiorno maresciallo, – disse Bruna, subito dopo aver congedato le due signore del turno precedente. – Sono felice di rivederla.

Era una forma di gentilezza o era contenta davvero? Fenoglio si infastidí molto con sé stesso. Di solito era abbastanza bravo a decifrare le intenzioni e le motivazioni delle persone, dietro le loro parole. Allora perché con lei non ci riusciva?

– Anche a me fa piacere... fa molto piacere, – replicò, sentendosi insopportabilmente goffo.

– Le hanno detto quando può rientrare in servizio?

– In teoria avrei diritto a un altro mese di convalescenza, ma se voglio posso riprendere fra una decina di giorni.

– E lei riprenderà fra una decina di giorni.

– Sí. Avrò un sacco di tempo per riposarmi, fra non molto.

Bruna serrò appena le labbra, poi andò alla scrivania e scrisse qualcosa su un pezzo di carta che ripiegò in quattro.

– Tenga, – disse porgendoglielo, con quel suo solito sorriso.

Fenoglio lo prese con espressione interrogativa.

– È il mio cellulare. Quando smette di essere mio paziente – ormai è questione di pochi giorni – mi telefoni, se vuole. Non prima, la prego. Mi metterebbe a disagio, mi costringerebbe a rifiutare un eventuale invito. Ognuno di noi ha le sue regole. Alcune hanno senso, altre meno. Ma tutte insieme servono a farci funzionare, a farci tirare avanti, o almeno io credo cosí. Se mi chiamerà, dopo, potremmo anche lasciar perdere il lei.

– Ognuno ha le sue regole. Giusto, – ripeté Fenoglio, e infilò il biglietto nel portafogli.

– Adesso cominci gli esercizi alla spalliera, – disse Bruna, – io salgo in reparto. Giulio è in ritardo, quando arriva lo rimproveri da parte mia.

– Ma possiamo andare a giocare in giardino?

Lei lo guardò diritto negli occhi. Pareva alla ricerca di una buona risposta, che evidentemente non le venne. Allora si limitò ad annuire, simulando un'espressione severa.

– In questi giorni ho riflettuto molto sulle cose che ci siamo detti, sulle storie che mi ha raccontato, – disse Giulio mentre camminavano lungo il sentiero che attraversava il prato. Fenoglio rispose con un monosillabo: era pronto ad ascoltare il seguito, significava.

– Fra l'altro ho ripensato all'episodio del medico ucciso, al momento in cui lei è entrato nel suo studio. Insomma, non era spaventato... preoccupato, sapendo che stava per trovarsi di fronte al cadavere di una persona ammazzata? Mi sono immedesimato nella situazione e la cosa mi ha messo ansia.

– Hai ragione. In effetti ero tesissimo: l'idea di vedere per la prima volta la morte violenta mi sgomentava. Quando superai la soglia dell'ambulatorio sentii letteralmente tremare le gambe, quasi stessero per cedermi. Durò alcuni secondi, poi la sensazione di paura svaní di colpo e diventai calmissimo. È difficile da spiegare e facile da fraintendere, ma quel corpo esanime mi apparve come un oggetto. Non era un essere umano che fino a qualche ora prima era vivo, si muoveva, parlava, respirava. Era un oggetto.

– Cioè non le ha fatto nessuna impressione vederlo?

– Non è che non mi ha fatto impressione: non mi ha prodotto emozioni. Appena ho messo piede nella stanza è scattato qualcosa che ha interposto una distanza fra me e il poveraccio là in terra. Allora ne fui stupito, ma in seguito avrei compreso bene la ragione di quel fenomeno. Ci sono lavori in cui, per sopravvivere, devi imparare a non lasciarti travolgere dalle vicende con cui entri in contatto. Se fai l'oncologo, per esempio, non puoi farti carico di tutte le sofferenze cui assisti, di tutte le notizie terribili che sei costretto a dare. E lo stesso vale per lo sbirro. Però, nel contempo, non devi diventare un automa, trattare le persone come numeri e fascicoli. È un equilibrio complicato fra due condizioni contraddittorie. In quell'occasione, tanti anni fa, sperimentai come si innesca automaticamente il meccanismo di autodifesa. Per il resto della vita ho cercato di evitare che quel meccanismo distruggesse l'altra parte.

– Ha visto molti morti ammazzati?

– Centosettantuno.

Giulio si voltò di scatto.

– Sa il numero preciso?

– Sí. Sai qual è la cosa peggiore, quella cui non ti abitui mai?

Il ragazzo scosse la testa.

– L'odore. Puoi creare una barriera rispetto a tutto, tranne che all'odore. Una volta ho notato in libreria un romanzo, un poliziesco; non l'ho comprato e non so esattamente di cosa parlasse, ma il titolo mi ha colpito: *Lo sconveniente odore della morte*. È la migliore definizione che abbia mai letto o sentito: *sconveniente*.

Per qualche minuto eseguirono gli esercizi senza parlare, poi Giulio ruppe il silenzio.

– Io non ho mai visto persone morte. Eccetto mia nonna. Ma lei non pareva morta, pareva dormisse... serena. Piú di tanti che dormono davvero. Mentre entravo nella sua camera mi tremavano le gambe, proprio come ha detto lei. Invece mi venne naturale farle una carezza. Era estate, ma quel giorno c'era maestrale e l'aria era fresca. Le finestre erano aperte e il vento soffiava per tutta la casa gonfiando le tende bianche del salone: sembravano vele spiegate verso una destinazione.

– Quanti anni avevi?

– Diciannove. Le ero molto affezionato. Quando ero piccolo inventava per me delle filastrocche; devo averle ancora, raccolte in un quaderno. Fino a tutte le scuole medie andavo a fare i compiti da lei; aveva insegnato italiano e latino allo scientifico. Scriveva poesie e pubblicò anche due raccolte. Non quelle cose che si fanno con gli stampatori, a pagamento. Veri libri con veri editori. Era brava.

– Parlami ancora di lei.

– Era siciliana, però nel fisico non corrispondeva per nulla allo stereotipo che verrebbe in mente. Era alta, magra, con gli occhi azzurri. Io la ricordo sempre con i capelli corti e bianchi, ma nelle foto da giovane le arrivavano alle spalle, ed erano biondi.

– Era normanna, – disse Fenoglio.

Il ragazzo assunse un'espressione stupita, quasi fosse convinto che l'ascendenza nordica dei siciliani biondi fosse un fatto sconosciuto. Quasi il maresciallo avesse svelato un segreto di famiglia ben custodito.

– Era la madre di tuo padre o di tua madre?

– Di mio padre, – rispose Giulio. Indugiò alcuni secondi e proseguí: – Mio padre non ha fratelli o sorelle. Nonna gli voleva bene, naturalmente, però non capiva come fosse venuto fuori tanto diverso. Forse è colpa mia, forse ho fatto qualcosa di sbagliato, ripeteva sempre.

– A cosa si riferiva?

Il ragazzo alzò le spalle.

– A tutto. Non posso immaginare due persone meno somiglianti. Carattere, cultura, disposizione verso il mondo, opinioni politiche. Questo la affliggeva moltissimo. Io credo che la nonna si sentisse in colpa perché suo figlio non le piaceva.

– Che genere di poesie scriveva?

– Di vario tipo. Gli haiku erano i miei preferiti. Una volta si accorse che ero triste e ne scrisse uno mentre ero lí da lei. Lo so a memoria:

Nuvole livide
Popolate di buio
D'un tratto la scheggia di sole.

– Era brava, è vero, – sorrise Fenoglio.

Per qualche minuto tornarono a dedicarsi ai rispettivi esercizi, come due studenti che d'un tratto si rendono conto di essere in ritardo con i compiti.

– Conosce la parola *ciaraula*? – disse Giulio all'improvviso, mentre Fenoglio riprendeva fiato dopo una serie di affondi.

– *Ciaraula*?

– In siciliano significa strega. Nonna una volta mi raccontò una cosa che le era accaduta da bambina. Era estate e lei trascorreva la villeggiatura con la famiglia in una grande casa di campagna, non so esattamente dove. Un pomeriggio era andata a fare un giro e si era imbattuta in un piccolo casolare abbandonato. Era curiosa e, anche se sapeva che poteva essere un'imprudenza, era entrata. Subito non riuscí a vedere nulla, perché veniva dalla luce accecante del sole. Poi i suoi occhi si abituarono alla penombra e si accorse che al centro di quella piccola stanza vuota, a meno di un metro da lei, c'era un lungo serpente nero, arrotolato, che la fissava. Anche lei lo fissò e rimasero a lungo cosí, entrambi immobili. Alla fine il serpente scivolò via e scomparve in una fessura del muro. Nonna raccontò l'episodio alla vecchia governante di casa, Concettina, e quella le disse che era stata una prova, la rivelazione che lei era una *ciaraula*. Solo le *ciaraule* possono guardare negli occhi il serpente senza averne paura.

– Tu le assomigli?

– Lei diceva di sí; e non si riferiva all'aspetto. Mi piace credere che avesse ragione.

Fenoglio si passò una mano sul mento.

– La storia delle streghe, delle persecuzioni, dell'inquisizione mi ha sempre affascinato.

– Anche nonna ne parlava spesso. Secondo lei le streghe erano il simbolo della rivolta femminile. Avevano rappresentato le avanguardie nella lotta contro il potere dell'uomo. I roghi, e in generale la violenza sulle donne, erano stati ed erano la risposta dell'uomo che aveva paura di perdere il predominio. Sosteneva che le streghe, le donne che decidevano di studiare in un mondo che le voleva ignoranti, erano sempre state il capro espiatorio della stupidità e della cattiveria maschile. E aggiungeva che non ci sarà autentica libertà finché un uomo che ha molte donne sarà considerato uno che si gode la vita e una donna che ha molti uomini una prostituta. Una puttana, diceva proprio, ed era strano sentirle usare quel termine.

Fenoglio lasciò echeggiare quelle parole fra le pareti della memoria. Come capita in certi frangenti, pensò a tante cose diverse in pochi secondi.

– Ho una buona storia su una ragazza che faceva la prostituta, – disse poi.

– Mi piacerebbe molto ascoltarla, – rispose Giulio.

16.

Stavo entrando con mia moglie e due suoi amici in un piccolo teatro, per un concerto di pianoforte – mi è rimasto inchiodato nella memoria che nel programma era prevista, fra l'altro, l'esecuzione di una sonata di Béla Bartók – quando mi chiamarono dalla centrale operativa. C'era stato un omicidio, pareva un accoltellamento, nella zona del lungomare sud, la via che porta dalla città a San Giorgio e poi a Torre a Mare.

Mezz'ora dopo ero sul posto assieme a un appuntato della mia sezione, Antonio Pellecchia, detto Tonino. Sbirro vecchia maniera, non esattamente il mio genere, ma molto bravo. Uno di quelli che a volte creano problemi con i loro modi, come dire, spicci, ma che vorresti avere accanto – dalla tua parte – in una situazione pericolosa.

Su una strada secondaria, nei pressi di un capannone abbandonato e semidiroccato a meno di duecento metri dal mare, c'erano due nostre gazzelle, un'auto della polizia municipale e un'ambulanza. Tutte avevano i lampeggianti silenziosamente in funzione.

Qualche metro piú in là c'era una vecchia Alfasud con lo sportello del guidatore spalancato. Subito fuori, a terra, un uomo con il torace insanguinato.

Seduta sul sedile posteriore di una delle nostre auto,

ammanettata, lo sguardo fisso in avanti, c'era una donna. Pochi dubbi sul fatto che fosse una prostituta, considerati l'abbigliamento e il contesto. L'area di solito a quell'ora pullulava di ragazze che facevano la vita. In quel momento, per ovvie ragioni, erano tutte scomparse.

A una ventina di metri, un falò si andava estinguendo.

Un appuntato anziano, il piú alto in grado sulla scena del crimine, mi venne incontro.

– Buonasera, maresciallo. Buonasera si fa per dire.

– Buonasera. Si fa per dire –. Non rammentavo il suo nome, anche se lo avevo incontrato spesso.

– Mi racconti cosa abbiamo?

– Sí. L'hanno scoperto quelli della municipale. Passavano con la loro vettura e hanno visto le ragazze che scappavano via. Ne hanno bloccata una e le hanno chiesto cosa stava succedendo. Lei ha risposto che c'era stato un accoltellamento. Cosí loro hanno controllato e... – Si rivolse all'agente che stava vicino a noi ma non aveva ancora aperto bocca. – Racconta direttamente tu al maresciallo.

Era giovane, cercava di darsi un tono, però era molto agitato; gli tremavano le mani.

– Sí, dunque, siamo venuti qui con il collega dopo aver parlato con la prostituta che abbiamo fermato sulla strada. E abbiamo trovato l'Alfasud con la vittima, che non abbiamo toccato. Il collega ha subito chiamato la vostra centrale mentre io mi guardavo attorno. Cosí ho notato lí – indicò il punto in cui c'era il falò – una persona seduta. Mi sono avvicinato e ho visto che era una donna e che aveva in mano un coltello. Ho estratto la pistola, gliel'ho puntata e le ho gridato di posare l'arma. All'inizio sembrava che non mi sentisse. Non si è mossa. Io ho gridato di nuovo e allora lei ha buttato il coltello per terra, verso di me. Intanto mi ha raggiunto il collega e insieme l'abbiamo ammanettata. Poi sono arrivate le vostre auto.

– La ragazza ha detto qualcosa?

– Solo quando l'abbiamo messa in macchina.

Subentrò di nuovo l'appuntato.

– L'ho ammazzato, mi voleva fare male e l'ho ammazzato. Ripeteva queste parole quando le abbiamo chiesto cos'era successo.

– Il coltello dov'è?

– L'ho repertato, in un sacchetto. Non ho toccato il manico. È una molletta.

Andai alla macchina dove avevano fatto salire la ragazza. Entrai e mi sedetti sul sedile posteriore, di fianco a lei.

– Parli italiano?

Annuí debolmente. Non si voltò a guardarmi.

– Come ti chiami?

– Denisa.

– Da dove vieni, Denisa?

– Valona, Albania.

– Cosa è successo?

Si era appartata con un cliente dopo aver pattuito il compenso: cinquantamila lire. Trascorso qualche minuto lui era diventato violento; le aveva pizzicato i capezzoli fino a farla gridare, lei gli aveva detto di smettere, lui aveva urlato e aveva cercato di strangolarla. A quel punto lei aveva estratto il coltello a scatto che teneva nella borsa per difendersi in situazioni come quella. Non voleva ucciderlo, voleva solo scappare, ma lui aveva cercato di disarmarla, cosí lei lo aveva colpito. Non sapeva quante volte, non capiva piú niente, lui aveva aperto lo sportello, era sceso e si era accasciato. Poi ricordava solo che erano arrivati gli agenti e l'avevano ammanettata.

Uscii dall'auto e andai a dare un'occhiata al cadavere. Era un ragazzo, aveva l'espressione stupita e un po' ferina – i denti oscenamente visibili nella bocca aperta – di tutti i morti di morte violenta. Indossava un giubbotto e una camicia inzuppata di sangue. Era difficile capire con precisione dove fosse stato accoltellato e se piú volte o una sola. Feci caso ai pantaloni. Erano abbottonati e la cintura era a posto.

Nel portafoglio c'erano sessantamila lire, la patente e la carta d'identità. Aveva trentun anni, abitava a Bari e, stando ai documenti, era un perito elettronico.

Mentre arrivavano il medico legale e il personale delle investigazioni scientifiche, io dissi all'appuntato di portare la ragazza in caserma e di farsi accompagnare dagli agenti della municipale per compilare insieme gli atti.

– Ha i pantaloni abbottonati, – mormorò Pellecchia, accendendosi un mozzicone di sigaro.

– Ho visto, – risposi.

– Secondo te che significa?

– Non lo so.

– L'aveva caricata con l'intenzione di picchiarla, non di farsi fare un servizietto.

– È possibile. Lei però ha detto che è diventato violento dopo qualche minuto. Durante quei minuti cosa è successo? Hanno chiacchierato?

Un'ora dopo eravamo in caserma. Avevo chiamato il pubblico ministero di turno avvertendolo che avevamo un omicidio e anche, a quanto pareva, un'omicida confessa.

Avrei mandato un'auto a prenderlo, e se desiderava l'avremmo aspettato sul posto – gli diedi le indicazioni – ma se preferiva poteva autorizzarci telefonicamente la rimozione del cadavere e potevamo vederci direttamente nei nostri uffici. Occorreva interrogare la donna quella stessa notte, prima che cambiasse idea.

Il pm era un brav'uomo che per la maggior parte della sua vita professionale aveva fatto il giudice civile. Per ragioni ignote, a un certo punto, era passato in procura, su sua domanda, a svolgere un lavoro per il quale non era né preparato né adatto.

Autorizzò la rimozione del cadavere e chiese di mandargli un'auto: sarebbe venuto subito da noi per l'interrogatorio.

Sbrigammo le questioni formali: annotazione delle generalità, sommaria contestazione del fatto, avvisi vari fra cui quello della facoltà di non rispondere. La ragazza guardava a terra, sembrava non ascoltare e in piú di un'occasione fu necessario assicurarsi che avesse compreso.

Il magistrato la invitò a riferire cosa era accaduto e lei ripeté la stessa storia che aveva raccontato a me nell'auto.

Quando terminò e il pm voleva chiudere il verbale, considerato che erano ormai le due di notte, chiesi di poter fare qualche domanda.

– Denisa, vorrei alcune precisazioni. Hai detto che a un certo punto l'uomo è diventato violento, il che significa che non lo è stato da subito, appena sei entrata in macchina. È corretto?

Lei annuí, distogliendo lo sguardo.

– *Quando* è diventato violento, esattamente?

– Che vuol dire?

– Avevate già fatto qualcosa e lui si è eccitato e ha perso il controllo? Oppure stavate parlando e d'un tratto è diventato aggressivo? Hai detto qualcosa che lo ha fatto arrabbiare?

La ragazza produsse un singhiozzo. Si morse le labbra. Tirò su col naso come i bambini che hanno pianto molto e cercano di riprendersi. La guardai e pensai che non doveva essere passato troppo tempo da quando anche lei era una bambina.

– Non lo so. Non ricordo, sono confusa. Mi ricordo solo che mi stava facendo male, che io gli ho detto di smettere e che lui non ha smesso e allora l'ho colpito.

– Sul posto mi hai detto che ha cercato di strangolarti. È vero?

– Mi pare di sí.

– Te lo chiedo, Denisa, perché non hai nessun segno sul collo.

– Non lo so. Mi voleva fare male, io ho preso il coltello e mi sono difesa. Non mi ricordo niente.

Non ci fu modo di tirarle fuori altro. Ci provai ancora due o tre volte, ma senza successo, finché il sostituto procuratore disse che va bene, bastava, potevamo chiudere l'atto, c'era una confessione e ci sarebbe stato modo di chiarire i dettagli in seguito. Io insistetti per rivolgerle un'ultima domanda.

– Denisa, questo ragazzo, il morto, lo avevi mai visto prima?

Rispose che no, non l'aveva mai visto. Anche questa volta senza guardarmi.

Preparammo il provvedimento di fermo e tutte le carte per il carcere. Il capitano disse che la mattina dopo avrebbe organizzato la conferenza stampa, fornendo cosí il suo decisivo apporto al lavoro investigativo.

Accompagnai il magistrato alla macchina che lo aspettava nel cortile della caserma.

– Una volta tanto una cosa chiara che sbrighiamo in una notte, – disse salutandomi, col tono dell'esperto investigatore che non era.

Avrei voluto rispondergli che non ero affatto convinto che la cosa fosse chiara e che con quella notte il lavoro fosse finito. Lasciai perdere. In effetti era tardi, e per qualsiasi cosa, per qualsiasi *dettaglio*, secondo la sua espressione, era comunque necessario aspettare il giorno dopo.

Rientrando a casa, come mi capita spesso in questi frangenti, avevo la sensazione che qualcosa mi fosse sfuggito. Qualcosa che avevo percepito e che però non riuscivo a inquadrare in un'immagine definita.

Nel pomeriggio successivo ci fu l'autopsia. Il medico legale avrebbe scritto la sua relazione in un paio di settimane, ma ci anticipò a voce che le coltellate erano state tre, sferrate con forza da un soggetto quasi certamente destrorso; la traiettoria era dal basso verso l'alto. Le ferite erano compatibili con il coltello di cui era stata trovata in possesso la ragazza.

– A me non convince lo stesso, – disse Pellecchia.

– Nemmeno a me.

– Per quello che ne so io, le puttane non portano armi. Il pappa, o uno dei suoi, è sempre lí vicino, pronto a intervenire. Un'arma significa solo problemi in piú, se c'è un controllo nostro o della polizia. Magari mi sbaglio, ma la molletta da assassino nella borsa mi suona male.

– E quindi? Se la ragazza non dice la verità, cosa è successo secondo te?

– A quel tipo gli hanno teso un agguato. Avevano già deciso che doveva morire, perché non lo so. Qualcun altro lo ha ammazzato e la ragazza si prende la colpa invocando la legittima difesa. La storia che racconta puzza come un pesce putrefatto –. Pellecchia era capace di similitudini e metafore particolarmente gradevoli ed eleganti. Sovente, però, come in quel caso, aveva ragione.

– Ha senso. Cerchiamo di capire meglio chi era la vittima.

Dedicammo la mattina seguente a raccogliere informazioni sul ragazzo. Non fu un'investigazione utile, se l'idea era di trovare qualche peccato, qualche colpa segreta, qualcosa che giustificasse addirittura un piano per ucciderlo.

Lavorava in una società di software aziendali, viveva nella casa di famiglia – i genitori erano entrambi morti – e frequentava la parrocchia.

Fu proprio in parrocchia che andai, nel primo pomeriggio. Dissi a Pellecchia che poteva anche non accompagnarmi. C'erano occasioni in cui la sua presenza era utile, altre in cui poteva risultare controproducente.

Se avessi conosciuto prima il sacerdote, non mi sarei posto tanti problemi. Era del genere prete di strada. Non particolarmente giovane, vestito in abiti civili, collo taurino, manone da portuale. Dietro la sua scrivania, ai lati del crocefisso, erano appesi dei manifesti con i ritratti di Gandhi, Martin Luther King e Che Guevara.

Sapeva già della vicenda dai vari telegiornali e non mi fece sprecare troppe parole in domande.

– Sono sicuro di non doverle spiegare che un sacerdote non può dire tutto quello che sa, – esordí. – Ci sono cose che può raccontare e altre per le quali è vincolato al segreto. È una premessa necessaria. Martino era un ragazzo buono, voleva aiutare il prossimo. Aveva le sue mancanze, come chiunque. Forse era un po' ingenuo, forse non resisteva a certe tentazioni. Non posso violare il segreto della confessione, ho già detto piú di quello che avrei dovuto, però mi sembra molto, molto improbabile che abbia cercato di fare del male a Denisa. Non voglio insegnarle il suo mestiere, ma mi permetto di suggerirle di verificare molto bene quello che è accaduto.

Fu solo mentre me ne andavo che mi resi conto di non avergli detto il nome della ragazza.

Quella sera Pellecchia e io andammo a farci un giro sul lungomare verso San Giorgio. Di solito la zona era – e lo è ancora – affollata di prostitute e clienti. Quella sera non c'era nessuno. Peggio che dopo una delle retate che noi e la polizia facevamo quando le proteste dei cittadini diventavano difficili da ignorare.

– Ci serve parlare con una di quelle che erano qui l'altro ieri, – dissi mentre camminavamo fra le erbacce, i resti dei falò, i copertoni abbandonati. Nell'oscurità la brace del sigaro di Pellecchia si illuminò come un segnale di pericolo.

– Non sarà facile, le muovono da un posto all'altro, i bastardi.

– Devi trovarne una tu, Tonino, – dissi continuando a camminare, sentendo l'odore del sigaro e l'odore del mare.

– Quando c'è da fare un lavoro pulito tocca sempre a me, vero?

Allargai le braccia.

Risalimmo in macchina e rientrammo.

La ragazza che Pellecchia portò in caserma il pomeriggio seguente sembrava tutto fuorché una prostituta. Incrociandola per strada, ammesso che l'avessi notata, avresti detto che era una commessa, un'impiegata, la portinaia di un condominio in centro. Mia madre avrebbe detto: una sartina.

L'unico elemento che alterava quell'aspetto di inquietante normalità era lo sguardo da animale in fuga. Gli occhi e la testa si muovevano a esaminare l'ambiente, alla ricerca di un pericolo che senza dubbio si nascondeva da qualche parte.

Si chiamava Svetlana e per prima cosa disse che non avrebbe firmato alcun verbale. Dovevo darle la mia parola che non avrei scritto niente.

– Tranquilla, Svetlana, – la rassicurò Pellecchia, – il maresciallo e io abbiamo bisogno di qualche informazione. Non lo deve sapere nessuno.

Svetlana guardò verso di me per avere una conferma.

– Vogliamo solo parlare, – dissi io.

La ragazza chiese se poteva fumare e io le risposi che poteva.

– Svetlana era sul lungomare la notte che è successo il fatto, – disse Pellecchia.

– Ma non ho visto niente, – si affrettò ad aggiungere lei.

– Va bene, raccontaci quello che sai di questa storia e come l'hai saputo.

Lei diede una boccata profonda e cominciò a parlare.

Stava sul ciglio della strada con un'altra ragazza, aspettando i clienti. Era una serata normale, e non faceva nemmeno troppo freddo. Si era appena accesa una sigaretta quando con la sua amica avevano sentito gridare e subito dopo si erano accorte che tutte scappavano. Cosí si era messa a correre anche lei. In questi casi la regola è: prima scappare, poi chiedersi perché.

Aveva scoperto cos'era successo solo dopo. Alcune dicevano che a un certo punto erano arrivati due tizi e avevano aperto la portiera di una macchina che stava lí, vicino al capannone diroccato. Avevano tirato fuori l'uomo che c'era dentro e c'erano state delle urla.

E basta, lei non sapeva altro, e adesso per favore chiedeva che la lasciassimo andare, prima che qualcuno si accorgesse che si era assentata senza spiegazioni dal posto dove abitava con le altre.

– Svetlana, tu lo sai chi erano i due.

Il viso assunse di nuovo quell'espressione da animale in fuga. Spense la sigaretta e ne accese un'altra.

– Solo uno.

– Come si chiama?

– Se scoprono che ho parlato con voi mi ammazzano.

– Non lo scoprono.

Pellecchia le strinse un avambraccio in un gesto di inattesa delicatezza. Col capo le fece un cenno di incoraggiamento.

– Bletmir, era Bletmir, – rispose lei.

– Tu lo hai visto, vero?

– No! Ve lo giuro, me lo ha detto un'altra ragazza, io non l'ho visto.

– Va bene, ti credo. Come facciamo a rintracciarlo, questo Bletmir?

Ci spiegò come potevamo trovarlo. Ormai parlava con tono rassegnato, quasi fosse stata certa che avrebbe pagato per ciò che stava facendo, ma non potesse piú tirarsi indietro. Poi chiese di nuovo di andarsene.

– Un'ultima cosa, Svetlana. Il ragazzo che è morto. Non era la prima volta che veniva, vero?

Scosse il capo.

No, non era la prima volta. Fra le ragazze si diceva che si fosse innamorato di Denisa, che volesse convincerla ad andare via con lui. Tutte temevano che succedesse qualcosa di brutto, perché lui si presentava là spavaldo, come se volesse sfidare i magnaccia. All'inizio era stato un cliente normale. Poi aveva cominciato ad andare da Denisa solo per parlare: le dava i soldi, ma non voleva fare niente.

Prima che Pellecchia la riaccompagnasse chissà dove, le porsi un foglietto.

– Questo è il mio numero di telefono, senza nome né niente. Se ti ricordi qualcosa, chiamami. E chiamami anche se ti occorre qualcosa per te; ci sono associazioni che aiutano le ragazze che...

Non mi vennero le parole per finire la frase. Lei mi guardò per qualche secondo, come se temesse un tranello. Poi prese il foglietto, salutò e uscí dalla stanza.

– Andiamo a prendere quella merda e lo facciamo parlare a calci in bocca? – disse Pellecchia quando rientrò. La sua interpretazione della procedura penale e delle garanzie processuali era piuttosto personale, ma molto radicata. Ignorai lo spunto sui calci in bocca.

– Voglio provare a parlare con la ragazza, prima. Il magistrato dovrebbe averci già mandato la convalida del sequestro del coltello, per la notifica.

In effetti gli atti da notificare erano arrivati. Prendemmo un'auto e mezz'ora dopo attraversavamo la sequenza di cancelli e portoni della casa circondariale, dall'ingresso principale fino alla saletta degli interrogatori.

Denisa arrivò qualche minuto dopo. Indossava una felpa troppo larga, e sembrava ancora piú giovane e piú piccola.

La guardai in faccia con piú attenzione di quanto avessi fatto qualche giorno prima: non era né bella né brutta e nei suoi lineamenti non c'era nulla che colpisse, che consentisse di ricordarla. Infatti, pensai, se avessi dovuto descriverla a qualcuno, sarei stato molto in difficoltà.

Quando le consegnai il verbale da sottoscrivere, firmò con la sinistra.

Ecco cosa mi era rimasto in mente dopo l'interrogatorio, senza che fossi riuscito ad annotarlo: era mancina. E l'assassino, aveva detto il medico legale, era destrorso.

Questo confermava il racconto di Svetlana e mi dava un argomento in piú per tentare di convincerla a collaborare.

– Lo sai cosa rischi, Denisa?

Ebbe un sussulto, come se le avessi dato uno schiaffo.

– Mi sono difesa, era… come si dice… era legittima difesa…

– Non avrai la legittima difesa. Tu sei mancina e l'assassino, cioè chi ha dato le coltellate, è destro. Non puoi essere stata tu, materialmente. Ci sono tante cose che non quadrano nel tuo racconto, e se non quadrano significa che stai mentendo, e se stai mentendo nessuno ti ascolterà quando sosterrai di esserti solo difesa. Mi segui?

Fece di sí col capo, piano. Adesso sembrava il personaggio triste e impaurito di un cartone animato di Walt Disney.

– Lo sappiamo che è stato Bletmir. Ti ha fatto credere che avresti avuto la legittima difesa, ma non sarà cosí.

Subentrò Pellecchia. Diede un colpo improvviso sullo schienale della sedia su cui era seduta la ragazza. Non forte, quasi un buffetto, ma bastò perché lei sobbalzasse. – *Tu* verrai condannata per omicidio e starai in carcere per sempre, mentre *lui* rimarrà libero e continuerà indisturbato a fare il magnaccia e a rovinare altre come te.

Denisa stava per balbettare qualcosa, ma lui proseguí. Non poteva gridare, perché eravamo in carcere e non era una buona idea far accorrere gli agenti di custodia, però aveva un tono che conoscevo bene e che metteva piú paura delle urla.

– A non dire un cazzo peggiori solo la tua situazione. Sarai condannata e i giudici ti daranno il massimo della pena perché non solo hai partecipato a un omicidio, ma hai anche mentito per coprire il tuo complice. Non esci piú, lo capisci questo?

Il labbro le tremò, come se stesse per mettersi a piangere.

A me lo schema dello sbirro buono e dello sbirro cattivo non è mai piaciuto, per molte ragioni. Ragioni etiche ed estetiche, avrebbe detto un mio professore dell'università. Per questo mi dà fastidio ammettere che funziona: ma a volte funziona. Stetti al gioco e lasciai passare un paio di minuti, fino a quando il silenzio non diventò pesante. Quindi intervenni.

– Te lo ripeto, Denisa, sappiamo tutto. L'unica cosa che non sappiamo è perché Martino sia venuto da te cosí tante volte. Hai voglia di raccontarmelo?

– Come fate a...?

Pellecchia diede un colpo sul tavolo e stava per abbaiare qualcosa. Lo fermai.

– Va bene, adesso calmati. Anzi, vai fuori due minuti e fumati un sigaro.

Fece un gesto di fastidio e disapprovazione con la mano, parve sul punto di protestare, poi si girò e uscí. Ben recitata, bisognava ammetterlo.

– Allora, Denisa?

La ragazza si mise a piangere. Parlò fra i singhiozzi.

– Era pazzo, pazzo. Glielo avevo detto di non tornare.

– Vuoi dire Martino?

– Sí.

– Perché non doveva tornare?

– Perché era pericoloso.

– Martino era innamorato di te, vero? Voleva portarti via da quella vita?

Annuí, senza guardarmi negli occhi. Come se quella fosse la parte piú vergognosa e piú difficile da ammettere di tutta la vicenda. Forse lo era.

– E Bletmir aveva capito tutto.

– Non lo sapevo cosa voleva fare, Bletmir. Io glielo avevo detto a Martino: non tornare, non tornare che è pericoloso, ma lui era pazzo. Era buono ed era pazzo.

– Ti dispiace se il mio collega rientra? Vorrei che sentisse anche lui. Ti prometto che si comporterà bene.

Pellecchia rientrò e Denisa ci raccontò.

Aveva conosciuto Martino qualche mese prima; era con un gruppo di ragazzi che erano andati sul lungomare per divertirsi. Capita abbastanza spesso: arrivano insieme, magari un po' ubriachi, ognuno prende una ragazza e fanno quello che devono. Lui già quella sera era stato gentile. Aveva detto che erano stati i suoi amici a trascinarlo lí, che lui non era mai andato con una prostituta; si era quasi scusato quando, dopo pochi minuti, era finito tutto.

Poi era tornato. Poi ancora. E a un certo punto non aveva piú chiesto il sesso. Non lo voleva a pagamento, diceva che avrebbero fatto l'amore quando lei avesse deciso di cambiare vita e andarsene con lui, perché c'è sempre una seconda possibilità per tutti. E sí, anche senza la prestazione pagava ogni volta. Solo per stare con lei dieci minuti. Denisa ribatteva che era matto, però le piaceva ascoltare quelle cose e quasi cominciava a pensare che forse Martino aveva ragione, che esisteva davvero una seconda possibilità. Aveva addirittura immaginato come potesse essere, fuggire da quell'esistenza e averne una normale. Poi, un giorno, Bletmir le aveva chiesto chi fosse quello, il ragazzo che veniva sempre. Lei si era spaventata, come se lui l'avesse scoperta mentre cercava di scappare, che poi era esattamente quello che sognava; quell'uomo era come il diavolo, le vedeva dentro, capiva tutto ed era sempre pronto a farle del male: *godeva* a farle del male.

Cosí Denisa aveva detto che il ragazzo era solo uno come tanti, gli piaceva andare con lei e ogni tanto tornava e basta. Bletmir aveva urlato che non lo voleva piú vedere da quelle parti, altrimenti lo ammazzava: lei era sua e basta. Denisa lo aveva detto a Martino e lui aveva risposto che non aveva paura, e però per qualche giorno non era andato. Lei era triste perché non lo vedeva, ma contenta perché era certa che, se fosse tornato, sarebbe successo qualcosa di brutto. Poi, quella sera, Martino si era ripresentato. Denisa lo aveva implorato di andarsene, ma lui si rifiutava di farlo senza di lei. Mentre stavano parlando erano arrivati Bletmir e un altro che lei non conosceva; avevano aperto la portiera e l'avevano tirato fuori. Forse volevano solo dargli una lezione, ma lui si era difeso e in un minuto era a terra, morto. Bletmir le aveva detto di prendere il coltello e di rimanere lí ad aspettare gli sbirri. Avrebbe dovuto raccontare che Martino aveva cercato di violentarla e che lei si era difesa con il coltello che portava sempre in borsa.

Parlò tutto d'un fiato, e alla fine sembrava triste ma sollevata.

– Perché ha voluto che rimanessi lí ad aspettare gli sbirri? – le chiese Pellecchia.

– Non lo so. Forse pensava che se mi prendevo io la colpa voi ci credevate e non cercavate qualcun altro –. Ci rifletté su un poco. – O forse perché mi voleva punire. Perché parlando con quel ragazzo gli avevo mancato di rispetto, aveva detto. Però se faccio i bocchini a dieci uomini diversi ogni sera non si preoccupa che gli manco di rispetto, – balbettò con un tono di rabbiosa umiliazione.

– Grazie, Denisa.

– Adesso che mi succede?

– Domani torniamo con il magistrato. Dovrai ripetergli quello che hai raccontato a noi. Dopo aver verbalizzato ti trasferiamo in una comunità. Se qualche detenuta ti chiede cosa volevamo, tu di' che ti abbiamo chiesto di collaborare e ti abbiamo fatto promesse e ti abbiamo minacciato, e che tu ci hai risposto che non sapevi di cosa stavamo parlando. E poi di' loro che hai il tuo uomo fuori che pensa a tutto per te.

– E ora? – chiese Pellecchia, mentre con la nostra Alfa 33 scivolavamo fuori dal cortile del carcere e ci immettevamo su corso De Gasperi.

– Adesso torniamo in caserma, scrivo la relazione di servizio, cerco di metterci dentro tutto e speriamo che il magistrato vada davvero a sentirla domani. Senza un interrogatorio regolare non andiamo da nessuna parte.

– E poi ingabbiamo Bletmir pezzodimerda?

– Anche se la ragazza conferma al magistrato quello che ci ha appena raccontato – e speriamo sia cosí – non basta per arrestare quello stronzo. Sono dichiarazioni di una coindagata, ci vogliono i riscontri. Chiederemo ai colleghi della scientifica di cercare eventuali impronte diverse da quelle di Denisa sul coltello, ma non mi faccio grandi illusioni. Dobbiamo inventarci qualcosa per incastrare il signor Bletmir.

Rimanemmo in silenzio per un paio di minuti, con Pellecchia che guidava nel traffico. Era davvero assorto, perché non passò mai con il rosso e non tentò di travolgere nessun ragazzino in ciclomotore.

– Potremmo provare con un'ambientale, – esclamò all'improvviso, come risvegliandosi.

– E dove?

– Prepariamo una stanza in caserma con un paio di microspie. Poi andiamo da Bletmir, gli facciamo una perquisizione con un pretesto. Che ne so, diciamo che stiamo cercando armi, o droga. Dopo ce lo portiamo in caserma, lo mettiamo nella stanza microfonata e vediamo se dice qualcosa di utile. È un tentativo. Magari ci va pure di culo e gli troviamo davvero armi o droga. Cosí intanto lo ingabbiamo, poi si ragiona sul resto.

Era un'idea. Al tempo non era ancora noto a tutti i criminali che negli uffici di polizia c'era il rischio di essere intercettati e bisognava stare zitti o, meglio ancora, dire cose utili a depistare. Per qualche anno, fino a quando si sparse la voce, diverse indagini furono risolte con questo sistema.

Il piano di Pellecchia, comunque, aveva senso solo se mettevamo qualcun altro in stanza insieme a Bletmir, qualcuno con cui lui potesse parlare.

– Possiamo provare. Ma prima vediamo cosa succede con il magistrato domani.

Il pubblico ministero titolare dell'indagine era fuori sede per un corso di formazione. Poteva sembrare una disdetta, invece fu una fortuna. Lo sostituiva il magistrato di turno, una donna di nome Mantovani, arrivata a Bari da poco, che era piú sbirro di Pellecchia. Capí al volo la situazione e nel primo pomeriggio andò a sentire Denisa, che confermò tutto e forní anche nuovi particolari.

La Mantovani ci diede il decreto di intercettazione d'urgenza e ci chiese di avvertirla subito, anche di notte, se veniva fuori qualcosa di utile e se c'era da disporre il fermo di quell'animale.

Mentre io ero in carcere con la Mantovani a interrogare Denisa, Pellecchia, con alcuni altri ragazzi della sezione, si procurò due microspie e preparò una stanza per l'ambientale, eseguendo i controlli sulla qualità del suono.

Poi andammo da Bletmir. Avevamo deciso di simulare una perquisizione d'iniziativa per la ricerca di droga. Un atto per cui non c'era bisogno del provvedimento del magistrato e che ci permetteva di confonderlo sulle vere ragioni della nostra visita.

Ovviamente era una forzatura.

Quando dissi alla Mantovani cosa avevamo intenzione di fare, lei mi guardò per qualche secondo con un'espressione indecifrabile; poi replicò che della nostra attività autonoma, come polizia giudiziaria, non voleva sapere niente.

Grazie, pensai io. Davvero.

Bletmir abitava in un appartamento in centro, in un condominio borghese degli anni Sessanta. Anonimo e innocuo. Eravamo in quattro: Pellecchia, io e due brigadieri. Aspettammo che qualcuno aprisse il portone, ci qualificammo, ci infilammo nell'androne, salimmo le scale a piedi, suonammo il campanello e poco dopo una voce maschile piuttosto acuta chiese chi fosse.

– Carabinieri, – gridò Pellecchia. – Apri subito o buttiamo giú la porta.

La porta si aprí quasi prima che Pellecchia avesse finito di parlare. L'uomo che ci comparve davanti aveva un aspetto piuttosto anonimo. Statura e corporatura medie, pallido, capelli scuri e occhi piccoli, ravvicinati, color azzurro chiaro. Era in pigiama.

– Che volete? – domandò alzando le mani e mostrando i palmi come per sottolineare di essere innocuo. L'accento straniero era appena percepibile.

Entrammo tutti e quattro, richiudemmo la porta e Pellecchia gli diede un ceffone.

– Dicci dov'è la droga, cosí risparmiamo un sacco di tempo.

Mi parve di cogliere, pur nella smorfia dovuta allo schiaffo, una nota di sollievo sul viso del magnaccia. Sentire che eravamo lí per cercare droga lo aveva tranquillizzato. La sua preoccupazione era un'altra. Nell'aria aleggiava odore di cibo misto a un profumo da donna scadente.

– Non ho droga, signor maresciallo, cercate pure, – disse l'albanese, assumendo un contegno da irreprensibile, bravo cittadino.

Pellecchia aveva deciso di recitare fino in fondo e nel modo piú realistico il ruolo del carabiniere alla ricerca di sostanze stupefacenti. Perciò gli allentò un altro schiaffo.

– Non fare lo stronzo con me. Dimmi dov'è la roba.

– Cercate dove volete, non ho droga, non ho niente. Sono un commerciante e sono in Italia con regolare permesso di soggiorno. Vi hanno dato un'informazione sbagliata.

A quel punto intervenni io.

– Va bene, adesso vediamo se dici la verità. C'è qualcun altro in casa?

– La mia fidanzata, signor maresciallo. Eravamo a riposare, – disse toccandosi il pigiama e guardandomi con espressione complice, come a intendere che il verbo *riposare* aveva un significato convenzionale che io, da uomo di mondo, avrei certamente compreso. Dovetti reprimere l'impulso a dargli una sberla anch'io.

La casa era molto normale, con mobili degli anni Settanta ed elettrodomestici nuovi. Con ogni probabilità era stata presa in affitto già arredata. Mi domandai se fosse un caso che quel magnaccia avesse scelto come abitazione un posto quasi iconico della normalità borghese.

La *fidanzata* era una ragazza italiana. Ci venne incontro indossando una vestaglia corta, orientaleggiante, con draghi e altre decorazioni. Parlava con accento settentrionale, forse di qualche provincia lombarda. Aveva i capelli gialli, il profumo dozzinale che si sentiva entrando in casa proveniva da lei e, in definitiva, fra le tre donne che avevamo incrociato nell'indagine, era la piú somigliante allo stereotipo della puttana.

Buttammo all'aria la casa per due ore, ma Bletmir era molto tranquillo, non sembrava infastidito dal fatto che svuotassimo gli scaffali, rovesciassimo i cassetti, spostassimo i mobili. A un certo punto, avendo capito che ero il piú alto in grado, mi chiese addirittura se volessi un caffè.

Dopo due ore di ricerca simulata, passammo alla delusione simulata.

– Va bene, stronzetto, per questa volta ti è andata bene, – sibilò Pellecchia. – Non sarà sempre cosí. Adesso andiamo in caserma per i verbali.

– Quando lo fate tornare? – domandò la ragazza. Il suo accento era diventato piú intenso.

– Deve venire con noi pure lei, signorina. Si vesta, per piacere, – le dissi.

– Perché? – sussultò quella, d'un tratto allarmata.

– Era qui in casa, abbiamo perquisito anche le sue cose. Dobbiamo scriverlo nel verbale e lei deve firmarlo.

– Cosa devo firmare? – domandò con la voce alterata.

Prima che potessi risponderle Bletmir le intimò di stare zitta e di andare subito a vestirsi. Lei ubbidí.

Mezz'ora dopo eravamo tutti in caserma, e l'albanese e la donna erano nella stanza con le microspie. Uno dei brigadieri comunicò loro che ci sarebbe voluto un poco per scrivere gli atti. Dovevano aspettare. Quando fosse stato tutto pronto li avremmo chiamati.

Con Pellecchia ci spostammo nella saletta intercettazioni in cui avevamo messo gli apparecchi per l'ascolto.

– Perché ci hanno portato qua? – chiese la ragazza dopo qualche minuto di silenzio.

– Devono scrivere. Quando hanno finito firmiamo e ce ne andiamo.

Nella voce del magnaccia, anche con la deformazione delle apparecchiature, adesso si percepiva una sfumatura di inquietudine. Aveva parlato come per tranquillizzare la donna, in realtà voleva tranquillizzare sé stesso.

– Ma perché sono venuti a fare la perquisizione?

– Cazzate. Una soffiata. Qualcuno gli ha detto che a casa c'era droga e sono venuti a controllare.

– Ma chi può essere stato?

– Non lo so. Ci penso poi. Adesso zitta, che mi stai facendo girare i coglioni per quanto chiacchieri.

Passò almeno una mezz'ora in cui si scambiarono solo qualche monosillabo. Stavo cominciando a chiedermi se non dovessimo azzardare una provocazione, per spingerli a tradirsi.

– Perché ci vuole tanto tempo? – disse lei a un tratto.

– Che cazzo ne so. Che cazzo ne so cosa fanno e cosa pensano questi sbirri di merda.

– Non è che sono venuti per quell'altro fatto?

A quella frase fu come se nella saletta intercettazioni, attraverso i nostri corpi, fosse passata un'improvvisa scarica elettrica.

Pregai che Bletmir rispondesse, che non le dicesse semplicemente di stare zitta.

– Quale altro fatto?

– Non lo so, magari Denisa…

Il rumore dello schiaffo che interruppe la frase si sentí forte e chiaro nei nostri auricolari.

– Denisa non gli ha detto un cazzo. Lei fa quello che voglio io e tu devi stare zitta, anche perché non sai niente. È vero che non sai niente?

Doveva averla presa per il collo o comunque le stava facendo male, perché lei gli chiese di lasciarla con voce soffocata.

– Ti lascio quando decido io. Tu devi stare zitta. Hai capito?

– Mi fai male...

– Hai capito? – ripeté lui.

– Sí.

– *Quella* storia non esiste, tu non sai un cazzo e soprattutto non sai chi è Denisa e chi sono le altre.

Dopo ci fu un altro lungo intervallo di silenzio. Cosí lungo che pensai non avrebbero piú aperto bocca, che avremmo dovuto interrompere la captazione, sperando che quanto avevano detto potesse essere sufficiente come riscontro alle dichiarazioni di Denisa.

Invece Bletmir d'un tratto parlò di nuovo, a volume molto basso, ma comprensibile.

– Se ti chiedono qualcosa tu devi dire che non sai nulla del mio lavoro, che sai solo che sono un commerciante, che faccio import-export. Chiaro?

– Sí.

– Se ti interrogano e dici qualcosa di sbagliato, sei morta.

Quindi la voce di Bletmir si abbassò ancora. Era quasi un fruscio. Le parole che riuscimmo a distinguere furono: *... fare la fine di quello... ti sventro.*

– Non dico niente, ti giuro, – singhiozzò lei.

Forse aggiunse qualche altra cosa. Ma ormai mi ero distratto. Mi ero voltato verso Pellecchia, e lui verso di me. Rimanemmo cosí una decina di secondi, godendoci il momento.

– Ci toccherà lavorare per il fermo e tutto il resto, – gli dissi. – Anche stasera a casa tardi.

Lui si accese un mozzicone di sigaro.

– Già, anche stasera a casa tardi.

17.

Le ultime parole del racconto rimasero come sospese nell'aria. Giulio aveva lo sguardo che oscillava fra meraviglia fanciullesca e una consapevolezza adulta che a Fenoglio pareva di non avere mai notato, fino a quel momento.

– Questa è la storia piú... – Il ragazzo non riusciva a trovare l'aggettivo adatto. Strinse un pugno e aggrottò la fronte. – Insomma, le precedenti erano bellissime, ma questa...

– Qui c'è la caccia. A un animale molto cattivo. Poche, pochissime cose producono un'emozione altrettanto intensa. Perciò la vicenda di Denisa e Bletmir ti ha cosí coinvolto.

Il ragazzo fece vigorosamente su e giú con la testa. Era chiaro e lui era d'accordo.

– Che fine hanno fatto quei due?

– La ragazza, ovviamente, è stata prosciolta dall'accusa di omicidio e ha patteggiato una piccola pena per il favoreggiamento. Uscita dal carcere è andata in una comunità protetta dove è rimasta per l'intera durata del processo. Poi non ne ho piú saputo niente. Il signor Bletmir si è preso trent'anni e tuttora vive a spese dei contribuenti italiani in qualche istituto penitenziario.

Giulio sembrava in preda a una strana euforia.

– Avrei un sacco di domande...

– Tipo?

– Come vi siete convinti, lei e il suo collega, Pellecchia, che Denisa non diceva la verità. Esiste una tecnica, un metodo per capire se le dichiarazioni di una persona sono vere o no?

Sul viso di Fenoglio comparve una specie di sogghigno.

– Quelli che si dicono sicuri di indovinare se qualcuno gli sta mentendo sono gli stessi che i mentitori bravi ingannano con piú facilità. La prima regola del metodo è la consapevolezza che non esiste un metodo sicuro per tutti i casi, e che ci saranno sempre bugie che sfuggiranno anche agli investigatori piú esperti.

– Va bene, ma voi avete intuito subito che si trattava di una montatura. Non credo solo perché i pantaloni della vittima erano ancora abbottonati...

– Per rispondere in modo diretto alla tua domanda: le bugie si possono scoprire, sí, però non esiste un trucco magico che ti consenta di farlo sempre, comunque, con chiunque. È necessario un lavoro accurato: le bugie ben congegnate non si scoprono con uno sguardo, e in questo campo, piú di quanto non accada in altri, l'eccesso di sicurezza può causare catastrofi. I pantaloni abbottonati costituivano un buon motivo per dubitare del racconto di Denisa. Tuttavia l'errore che non va commesso, quando si incontra un elemento di sospetto, è quello di saltare subito alle conclusioni. I sintomi di possibile menzogna devono essere il punto di partenza per una verifica, non il punto di arrivo. Se ne emerge uno – può essere una traccia materiale, un particolare del linguaggio del corpo, un dettaglio linguistico – bisogna riflettere sul suo significato, confrontarlo con altri indizi, esaminare l'ambiguità che eventualmente contiene. Ti faccio un esempio banale. Secondo alcuni un soggetto interrogato che sudi, che diventi rosso, che si agiti sulla sedia o che si torca le mani, mente senza ombra di dubbio. Be', se è giusto prestare attenzione a questi segnali, è invece una sciocchezza affermare che rappresentano indicatori inequivoci. Sono sintomi generici di stress, e lo stress può, certo, derivare dallo sforzo di nascondere la verità, però può anche essere causato dalla situazione in cui ci si trova – l'interrogatorio, magari aggressivo, in un ufficio di polizia – e alla quale non si è abituati. Senza contare che i bravi bugiardi sono appunto quelli che non sudano, non arrossiscono, non si agitano sulla sedia.

– Su cosa bisogna concentrarsi, allora?

– Si procede per tentativi. Ogni investigatore ha i suoi metodi: alcuni sono efficaci, altri meno. Io, se sto ascoltando qualcuno e ho delle perplessità su ciò che mi racconta, comincio a porgli delle domande innocue alle quali di sicuro risponderà dicendo la verità perché non ha nessun interesse a mentire.

– Cioè?

– Banalità. Dove abiti? Hai fratelli e sorelle? Che scuole hai frequentato? Che lavoro fai? Quello che mi viene in mente, come se fosse una conversazione qualsiasi. Quindi, mentre lui parla, lo osservo: com'è seduto, come tiene le braccia, se muove le gambe, in che direzione guarda. L'idea è di individuare un modulo di comportamento legato al dire la verità. Non appena mi sembra di esserci riuscito, passo a domande meno innocue e controllo se ci sono momenti in cui il soggetto si scosta dal modulo. Se sí, significa che in quei punti potrebbero nascondersi delle bugie e cerco di approfondire.

Il ragazzo sorrise. Forse il sorriso piú ampio e disteso da quando i due si erano conosciuti.

– È geniale.

Voleva aggiungere altro, ma evidentemente non trovava nulla che fosse adeguato al suo stupore.

– Bellissimo, bellissimo! – esclamò infine.

Fenoglio riprese subito il discorso, forse per vincere l'imbarazzo che gli procurava il complimento.

– Un altro sistema, questo sí davvero geniale, me lo insegnò un vecchio maresciallo tanti anni fa. Lasci raccontare la storia alla persona e, se hai dubbi, le chiedi di raccontarla di nuovo ma all'indietro, quasi dovesse proiettare a ritroso il film della sua memoria. Quando una storia è inventata in tutto o in parte, è molto piú complicato mantenerla coerente invertendo l'ordine della narrazione. È piú difficile farsi aiutare dalla fantasia senza l'appiglio di una cronologia normale.

– Il vecchio maresciallo ha usato questi termini?

Fenoglio allargò le braccia divertito.

– Forse è stato un po' piú essenziale.

– Comincia a piovere, – constatò il ragazzo, raccogliendo su un palmo aperto le prime gocce.

– Rientriamo a recuperare i borsoni e andiamocene a casa. Forse abbiamo saltato qualche esercizio, ma credo che possiamo ugualmente considerare chiusa la seduta.

– Starei delle ore ad ascoltare queste cose, – disse Giulio, mentre si incamminavano sul sentiero attraverso il prato.

– Ci sei stato, in realtà. Comunque, concludendo la discussione sulle bugie, per imparare davvero tutto quello che c'è da imparare su questo argomento bisogna rivolgersi ai veri esperti, che non sono i carabinieri o i poliziotti, e nemmeno gli psicologi.

– E chi sono?

– I truffatori professionisti. Se capisci come ragiona e come costruisce i suoi imbrogli un bravo truffatore, comprendere la struttura della menzogna e studiare i possibili antidoti diventa piú semplice.

Fenoglio prese un respiro profondo, portò le mani ai fianchi e spinse indietro le spalle, come per sciogliere una contrattura.

– Va bene, abbiamo, anzi *ho* parlato troppo. Domani farò il bravo e...

– Domani niente seduta per me, – lo interruppe il ragazzo; erano arrivati sotto la pensilina davanti alla reception. – Vado alla visita di controllo dal chirurgo che mi ha operato, a Bologna.

Il maresciallo ebbe una lieve esitazione.

– Ah, allora... io ormai ho finito, dalla settimana prossima non vengo piú.

– Lo so. Se non le dispiace passerei a salutarla, subito prima di partire, – mormorò Giulio. Per qualche istante sul suo volto aleggiò la stessa espressione dolente dei primi giorni.

– Mi farà molto piacere, – rispose Fenoglio, d'un tratto sentendosi solo.

La pioggia batteva, ora. Rapida e intensa.

18.

Il ragazzo lo stava aspettando nello stesso posto dove si erano salutati il giorno precedente, sotto la pensilina. Fenoglio pensò che per la prima volta lo vedeva vestito in maniera normale, senza la tuta da ginnastica.

– Le ho portato questo, – disse Giulio, porgendogli un piccolo libro impacchettato con una carta verde tenue.

A Fenoglio venne subito in mente la scuola elementare: proprio il vecchio edificio, i corridoi, le aule. Certe memorie saltano fuori nei modi piú inattesi.

– Io, ecco... – Stava per scusarsi perché lui non aveva niente con cui ricambiare. Poi si rese conto che sarebbe stata solo una frase formale, sbagliata, che avrebbe guastato il senso e l'eleganza del gesto di Giulio. Cosí, senza aggiungere nulla, scartò il pacchetto e scoprí una copertina ocra, di cartoncino ruvido, quasi grezzo, su cui c'erano solo il nome dell'autrice, il nome dell'editore e il titolo: *Voce dalla penombra*.

– È la nonna?

– Sí, – annuí Giulio, sorridendo. – Ho pensato fosse il modo migliore per ringraziarla.

– Ringraziarmi?

– Per le storie che mi ha raccontato. Per le cose che mi ha detto... che mi ha *insegnato* –. Rifletté qualche secondo in cerca delle parole esatte. – Per quello che mi ha fatto intravvedere. Non lo dimenticherò.

Fenoglio gli restituí un sorriso tirato, di quelli che si usano per nascondere la commozione.

– Parti adesso? – chiese poi per non rimanere zitto, per timore che il silenzio gli sfuggisse di mano.

– La macchina mi aspetta fuori.

– Sempre il collaboratore di tuo padre?

– Ma non mi faccio portare a Bologna, anche se loro, i miei genitori, avrebbero voluto. Mi accompagna solo alla stazione.

Rimasero lí, impacciati, consapevoli che il tempo stava scadendo.

Fenoglio pensò che avrebbe dovuto dirgli qualcosa. Qualcosa come: diffida delle storie in cui chi racconta è il protagonista e l'eroe, dunque diffida di quelle che ti ho raccontato io. Ho fatto del mio meglio per essere obiettivo, ma l'obiettività non esiste in questo campo (in quale esiste?), e forse non sarebbe nemmeno una buona cosa. Chi narra di sé e dei propri successi, riferisce i fatti come una successione ordinata verso un esito necessario. Ma non è mai cosí. Anche quando siamo molto bravi in qualcosa: un lavoro o altro. Spesso scordiamo ciò che è andato storto, o lo attribuiamo alla sfortuna o a qualsiasi causa purché diversa da noi, e di ciò che è andato bene, comunque, ristrutturiamo il resoconto e ridefiniamo il significato. Eliminiamo i dubbi, i passi falsi, le piccole meschinità, le ragioni inconfessabili, i tentativi non riusciti, le intenzioni sbagliate che solo per caso si sono concluse nel modo giusto, i successi preterintenzionali, gli effetti collaterali che diventano vittorie.

Non disse nulla di tutto questo. Decise che non era giusto, in quel momento.

– Forse sono io a doverti ringraziare. Mi sono reso conto davvero di *avere* quelle storie e quello che c'era attorno e altro ancora che non è venuto fuori, ma che ho ritrovato solo perché ho parlato con te. Se non fosse accaduto, probabilmente sarebbe andato tutto perso senza che nemmeno me ne accorgessi. Le storie non esistono, se non vengono raccontate.

Giulio sorrise e indicò il libro.

– Le ho scritto due parole di dedica. È una frase di *Ultimo tango a Parigi*.

Fenoglio andò al frontespizio e lesse, muovendo le labbra, ma senza produrre alcun suono: *Cambieremo il caso in destino. A Pietro, con amicizia. Giulio.*

– Mi sembrava ci riguardasse entrambi. Spero non le secchi se ho usato solo il suo nome, senza cognome, senza qualifica.

– Hai fatto bene. La prossima volta che ci incontriamo sai come chiamarmi.

Nota al testo.

I versi di J. L. Borges citati a p. 70 sono tratti dalla poesia *Rimorso per qualsiasi morte* in *Fervore di Buenos Aires*, a cura di T. Scarano, Adelphi, Milano 2010.

*Questo libro è stampato su carta contenente fibre certificate FSC®
e con fibre provenienti da altre fonti controllate.*

*Stampato per conto della Casa editrice Einaudi
presso ELCOGRAF S.p.A. - Stabilimento di Cles (Tn)
nel mese di febbraio 2019*

C.L. 24098

Edizione							Anno			
1	2	3	4	5	6	7	2019	2020	2021	2022

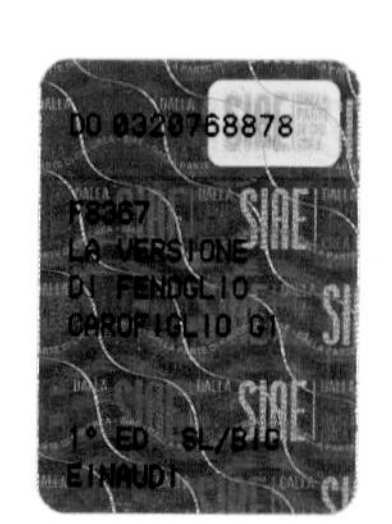
D0 0320768878
F8367
LA VERSIONE
DI FENOGLIO
CAROFIGLIO G1
1° ED. SL/BIC
EINAUDI